D1397533

ДАЛАЙ-ЛАМА

РАДЖИВ МЕХРОТРА

ВСЕ, ЧТО ВЫ ХОТЕЛИ СПРОСИТЬ У ДАЛАЙ-ЛАМЫ

ДАЛАЙ-ЛАМА

РАДЖИВ МЕХРОТРА

ВСЕ, ЧТО ВЫ ХОТЕЛИ СПРОСИТЬ У ДАЛАЙ-ЛАМЫ

ЭКСМО
МОСКВА
2011

УДК 14/24
ББК 87/86.35
Д 15

Dalai Lama XIV, Rajiv Mehrotra

All You Ever Wanted to Know from His Holiness the Dalai Lama on Happiness, Life, Living and Much More

Далай-лама

Д 15   Все, что вы хотели спросить у Далай-ламы / Далай-лама, Раджив Мехротра ; [пер. с англ. А. Позгоревой]. — М. : Эксмо, 2011. — 256 с. — (Великие мастера мудрости).

ISBN 978-5-699-47047-1

Далай-лама — один из самых известных людей на Земле. Для миллионов его личность и взгляды воплощают безусловную истину и представление о счастье. Эта книга — одна из немногих на русском языке, — где Далай-лама прямо отвечает на десятки вопросов о философии и практике буддизма и о пути современного человека к счастью и гармонии.

УДК 14/24
ББК 87/86.35

ISBN 978-5-699-47047-1

Содержание

РЕЛИГИЯ
И СОВРЕМЕННЫЙ МИР

Р.М.: *Ваше Святейшество, каково значение религии в современном мире?*

Е.С.: Религиозное влияние проявляется в основном на индивидуальном уровне. Независимо от веры или философии происходит внутренняя трансформация. В некотором отношении это должно давать нам надежду. В действительности же многие ее потеряли. Однако на более глубинном уровне надежду питает вера. Сегодня надежда является фактором, который поддерживает религию. Когда надежда умирает, человек лишается рассудка, совершает акты насилия и участвует в разрушительных действиях или, наконец, совершает самоубийство.

Общество состоит из индивидуумов. Из-за людей, потерявших надежду и совершающих отрицательные поступки, в сегодняшнем обществе все больше и больше безумства. Если их станет больше, пострадает все общество в целом. Если мы будем правильно воспринимать религиозные традиции и следовать им, это принесет пользу как отдельно взятому индивидууму, так и всему обществу в целом.

К сожалению, в наше время религия придает слишком большое значение церемониям и ритуалам. Иногда это выглядит старомодно и накладывает большие ограничения. В настоящее время необходимо найти суть того, что является важным в нашей повседневной жизни, и применить к этому соответствующие религиозные посылы, рекомендации или вдохновение.

Я полагаю, что богобоязнь важна для религии. Даже если человек считает, что обладает индивидуальной властью и возможностями, вера в Бога поддерживает некую дисциплину. В настоящее время многие страны переживают кризис морали, количество преступлений увеличивается. Дисциплинарная власть общества обладает условными методами контроля преступлений, однако индивиды, вовлеченные в них, становятся все более хитрыми и пользуются все более изощренными способами. Псэтому без самодисциплины и признания в себе духа и чувства личной ответственности обеспечить контроль преступлений будет очень сложно. И поэтому различные религиозные традиции выполняют важную, действенную роль.

Р.М.: *Каков, по Вашему мнению, важнейший религиозный посыл?*

Е.С.: Полагаю, что все мировые религии учат нас состраданию. Все религии призывают к любви, состраданию и прощению. А прощение отражает терпимость и понимание ценности прав и взглядов другого человека. В этом основа гармонии. Возможно, на более глубоком уровне благодаря религиозным традициям меняются наши взгляды. Религия учит очевидным вещам, однако существует и более глубокое значение, более глубокие силы и влияния. Они расширяют наше видение жизни. К примеру, если человеку суждено испытать боль или страдания, религиозный опыт или понимание придаст случившемуся более глубокое значение и поможет облегчить душевное бремя, смятение и боль.

К примеру, буддисты верят в кармический закон, закон причинности; они знают, что все происходящее в их жизни связано с кармой или поступками, совершенными в прошлом. Они знают, что в итоге должны будут нести ответственность за эти поступки. Это помогает облегчить чувство разочарования и смятение.

Р.М.: *Даже если все религии имеют одну цель, в каждой их них акцент делается на разные вещи. Как человек, намеренно вступивший в диалог между* *религиями, что бы Вы могли назвать общим основанием, или базисом, гармонии между различными религиями?*

Е.С.: Хотя все мировые религии учат любви и состраданию, было бы неверно сказать, что все они имеют одну и ту же цель или веру; между ними есть значительные отличия. Например, последователи одних религий верят в Творца, а других — нет, и в этом состоит их фундаментальное различие.

В философии определяются фундаментальные различия между религиями. Что было причиной возникновения различных философских учений? Думаю, для существования множества различных точек зрения должна быть веская причина. Все люди разные, и единственная философия, единственная вера просто не в состоянии удовлетворить потребности всех людей. Следовательно, то, что великие мастера античности произвели на белый свет различные философские учения и традиции, было просто неизбежным.

К примеру, одному нравится солодовая пища, а другому нет. Духовность — это пища для ума, и людям с различными интеллектуальными склонностями необходимы различные религии. Кому-то подходит философия, согласно которой человек — это ничто, а Творец — все. Если все находится в руках Создателя, нельзя делать того, что противоречит Его воле. Если люди ведут себя подобающим образом, это дает им особого рода духовное удовлетворение и нравственную основу. Существуют и другие люди, которые подходят к философии с точки зрения логики. Они обладают своего рода независимостью или некоторой властью. Если им объяснить, что все сосредоточено не только в руках всемогущего Творца, но также и в их собственных, в действительности это многое меняет.

Независимо от различных философских взглядов, самое важное — иметь смиренное и дисциплинированное сознание и доброе сердце. К сожалению, сейчас происходит слишком много конфликтов, разногласий и кровопролитий во имя религии.

Когда я был в Тибете, там не было связи с другими религиозными традициями. В то время мое мышление было иным. Сейчас благодаря многочисленным возможностям, которые мне представились, я познакомился с людьми, следующими различным религиозным традициям, и обрел твердое убеждение в том, что все они обладают очень большим потенциалом для воспитания хороших последователей. Мои глаза открылись после того, как я поговорил с такими великими людьми, как покойный Томас Мерчант, Мать Тереза и многими другими. Мы обменялись глубоким духовным опытом, и я понял, что важно объединиться и вплотную работать вместе.

Р.М.: *Будучи нобелевским лауреатом, как Вы думаете, чей вклад в атеизм получил особенно высокую оценку, что Вы думаете о религиозном плюрализме?*

Е.С.: В Индии существует много различных традиций и философских систем, в том числе традиции других культур. Индия напоминает сплав из многих религиозных традиций, и я думаю, что это одна из самых чудесных вещей в этой стране. Благодаря такой реальности религиозная *ахимса* стала частью религиозной традиции. В этом отношении Индия является примером для всего мира. Люди могут жить бок о бок как братья и сестры, несмотря на то что у них разная вера. Так мир становится меньше, и его части тесно взаимодействуют. В прошлом нации и континенты были более или менее изолированными. Тогда концепция единой правды, единой религии была очень важна. Однако сегодня ситуация изменилась. Плюрализм религиозной веры необходим и очень важен для современного мира.

Для меня как буддиста важно верить, что буддизм является правильной религией, или единственной правдой. В равной степени христианину важно верить, что христианство — правильная религия. Но как превозмочь противоречие того, что важны и правильны различные традиции и существует несколько правд?

В действительности в этом нет никакого противоречия. Для индивида очень важна концепция единой правды и единой религии. Однако с точки зрения общества и масс, большую роль играет концепция нескольких правд, нескольких традиций. Я буддист и верю, что буддизм — самая лучшая религия. Это не означает, что религия кого-либо из моих братьев —

индуиста, христианина, мусульманина или иудея представляет меньшую ценность. Все мы следуем той религии, которая наилучшим образом подходит именно для нас.

Сегодня есть возможность вплотную контактировать с различными традициями, что помогает нам развивать идею плюрализма и признавать ценности и святость других традиций. Из других традиций я узнаю много полезных вещей. Сходным образом некоторые из моих друзей очень хотят получить опыт из буддистской традиции. Это естественный способ обогащения своей собственной традиции и развития искреннего взаимного уважения и восхищения. Полагаю, именно это является крепкой основой религиозной гармонии.

Р.М.: *Каков взгляд буддизма на вопрос смены вероисповедания? В настоящее время, в особенности на Западе, многие люди, исповедующие разные религии, проявляют интерес к буддизму. Какой совет Вы могли бы им дать?*

Е.С.: Переход в другое вероисповедание представляется однобоким, когда не существует альтернатив и он производится насильственным способом. Это неправильно. Добровольная смена вероисповедания происходит тогда, когда человек делает выбор в соответствии со своим внутренним желанием. Это кажется мне более приемлемым. Иногда смена религии влечет за собой неприятности и путаницу, поэтому, возможно, более безопасно и логично будет следовать собственной культурной традиции.

Мой совет людям из разных стран таков: во-первых, если человеку нужно следовать определенной вере, лучше следовать своим собственным традиционным ценностям или религии. Некоторые представители западной культуры, внезапно поменяв религию, не обдумав свой выбор должным образом, испытывают замешательство. Если вы считаете буддистский подход более эффективным и логичным, сначала как следует подумайте. Стоит потратить время на размышление и исследование. И наконец, если вы действительно считаете, что он больше соответствует вашим внутренним устремлениям, значит, все в порядке. У человека есть право принять новую религию.

Слегка отходя от темы, скажу, что, приняв новую религию, люди часто критикуют предыдущую, чтобы оправдать свое решение. Это никуда не годится, таких вещей нужно избегать. Буддизм может подойти для многих людей, однако это не означает, что миллионы других людей не имеют ценностей. Этим людям приносят пользу их религии.

У некоторых буддистов слишком большие ожидания — возможно, по той причине, что иные из наших учителей говорят, что можно достичь полного просветления в течение трех лет. Такое учение, за очень редкими исключениями, не что иное, как пропаганда. За такой короткий период невозможно достичь высшей духовной реализации. Неправильно иметь слишком большие ожидания в самом начале. Я сам думаю о безграничной бесконечности, которая дала мне внутреннюю силу. И жизнь длиною в сто лет — это ничто.

Некоторые только выполняют упражнения, не вникая в суть всей буддистской системы. Если налить воду в гибкий сосуд, она может разлиться. Точно так же трансформации нашего разума нельзя достичь только через одно усилие или одно упражнение. Наш разум одновременно и очень сильный, и очень слабый — очень сложный. Если придавать большее значение обучению, можно развить гордость. Если придавать меньшее значение гордости, можно потерять уверенность в себе. Если развивать больше уверенности в себе, за этим последует гордость. Разум очень сложен, поэтому и путь его трансформации также должен быть сложным. Подумайте о бренности, подумайте о бесконечности, о природе Будды, о реальности пустоты, а также подумайте о ментальном потенциале. Обдумайте все это разными способами и попробуйте применить разные методы в разных ситуациях. Таким способом нужно формировать или изменять наш разум. По этой причине очень важно знать основы буддистской практики. Таков мой совет.

Р.М.: *Как определить, какая практика является самой лучшей? Например, буддистские практики во многом основаны на логике, рассудке и сознании.*

Однако, когда происходят разного рода необычные события, человек может их отвергать как «нелогичные» и столкнуться с различными противоречиями.

Е.С.: Я думаю, для начала просто нужно подумать о различных причинах или методах, которые представляются наиболее эффективными. Только таким образом можно вынести свое суждение о чем-либо. Затем, на более высоком уровне, думаю, с помощью снов или иногда с помощью различных необычных происшествий можно исследовать различные пути.

Приведу объяснение из тантры: мы можем извлекать определенный опыт через поверхностные уровни нашего сознания, а другой опыт — через тончайшее сознание. В состоянии сна наше сознание достигает более тонкого уровня, чем во время бодрствования. Это дает нам возможность получить долю того опыта, который мы не можем получить во время бодрствования, когда сознание активно на поверхностном уровне. Поэтому в процессе сна человек действительно имеет возможность принять участие в некотором исследовании. Следовательно, можно также сказать, что существуют определенные вещи, которые можно понять только через необычные события или происходящее в снах.

Я имею в виду, что все основные религии имеют единую цель — воспитывать добро в людях. В этом отношении все они одинаковы. Помимо этого, существуют различия в разных духовных традициях. Например, одна группа, христиане, верит, что после смерти люди попадают в рай. Другие группы — буддисты, джайны — и некоторые древние индийские традиции принимают нирвану, или *мокшу*. В буддизме существуют различные определения и толкования *мокши*.

Самое важное заключается в том, что среди систем, которые принимают существование нирваны и мокши, также есть различия. Даже среди приверженцев буддизма существуют разногласия в вопросе о том, что есть нирвана. Буддисты определяют нирвану как настоящее прекращение всех иллюзий, сознание, свободное от иллюзий. Однако, если бы нас спросили, существуют ли другие системы, в которых такое состояние может быть достигнуто, ответ должен был бы быть отрицательным. Аналогично, если нас, буддистов, спросили бы, существует ли буддистская практика, с помощью которой можно попасть в рай — так, как это происходит с христианами, — ответ снова был бы отрицательным.

Необходимо применить всю систему методов для того, чтобы достичь состояния нирваны, как это состояние объясняется в буддизме. Многие люди не заинтересованы в том, чтобы пройти такой путь. Также существует множество людей, которые отдают предпочтение вере перед разумом.

Р.М.: *Будет ли правильным сказать, что для тех, кого привлекают логическое мышление и исследование, буддизм является идеальным путем?*

Е.С.: Ваш вопрос подразумевает, что в буддистском учении путь рассматривается как очень логичный и систематичный, однако, если мы проанализируем его, окажется, что здесь также есть и некоторые противоречия.

Как я уже говорил, существует непосредственное восприятие. Мы можем понимать сущность некоторых явлений с помощью догадок, а также используя логику и рассуждение. В настоящий момент мы не можем постигать их напрямую. Однако некоторым людям это удавалось. Даже в пределах непосредственного восприятия существуют различные уровни сознания, например тонкий и грубый.

Существует три типа явлений, среди которых одни очевидны, а другие частично или полностью скрыты. Например, если мы спросим, как появилась эта книга, обычным объяснением будет то, что она возникла благодаря причинам и условиям. Если мы спросим, почему она появилась в результате этих причин и как все эти условия и причины сложили ее, то, если мы будем копать глубже, можно будет сказать, что все это стало возможным благодаря карме человека, который связан с этой книгой. Если мы будем исследовать еще глубже, чтобы объяснить появление этой книги, нам придется обратиться к теории Большого взрыва, который дал начало Вселенной.

Последовательность постижения событий, даже самых простых, происходит путем возвращения на предыдущую стадию, затем на стадию, которая предшествует этой, и так до начала всего космоса. Следующий вопрос заключается в том, какова причина сотворения космоса? Ответом будет Бог или какая-либо другая инстанция. Если бы ответом был Создатель, это могло бы решить один вопрос, создав множество других. Начала не существует; все бесконечно из-за чувствующих существ благодаря целостности сознания. Таково объяснение, которое дает буддизм. Возможно, это не даст ответа на все вопросы, однако ответит на некоторые из них. Эта теория дает удовлетворительные ответы, к которым можно прийти путем логических умозаключений.

К примеру, некоторые факты невозможно доказать, и приходится полагаться на утверждения третьих лиц. Мы знаем свой возраст, однако это известно нам не из собственного опыта, а доказать это логически мы также не можем. Мы просто верим своим матерям. Мы верим в нашу мать, так как не существует причины, по которой она могла бы говорить неправду. И когда мы, наконец, находим человека, на которого можем полностью положиться, мы верим ему на слово. Под умозаключениями или верой понимаются последствия определенных действий, которые накопились за некоторый период времени.

Есть утверждение, согласно которому необходимо, во-первых, доказать, что Будда свободен от невежества и мракобесия; во-вторых, что ему не следует говорить неправду; и в-третьих, необходимо сначала установить условия, при которых утверждения не должны быть непоследовательными и противоречивыми. Когда выполнены все три условия, мы можем верить Будде, верить в него и делать определенные выводы.

РОЛЬ ГУРУ

Р.М.: *Почему гуру так важен для буддистской и индуистской традиций?*

Е.С.: Гуру — это человек, ведущий из тьмы к свету.

Р.М.: *Это чисто религиозное понятие?*

Е.С.: Гуру почитали в Древней Индии как учителя, философа и советчика. Индуисты, джайны и буддисты традиционно придавали гуру большое значение. И в самом деле, положение гуру очень важно во всех религиях.

Р.М.: *Лама — это тибетский аналог гуру, существует ли между ними различие? Обладает ли лама какими-либо особыми качествами?*

Е.С.: В значении слов «гуру» и «лама» есть компонент тяжести — это человек, отягченный учением, знанием, умением и добротой. Прежде всего, главными качествами гуру являются знание и доброта. На основе этих близких друг другу качеств вы (ученики) развиваете чувство восхищения, сострадания, уважения, а также преданность своему гуру. На личностном уровне вы развиваете такие родственные качества, как вера и почитание, а также чувство духовной близости.

Часто слово «лама» ошибочно употребляют в значении «живой будда». Однако его коннотация совершенно иная. В основном это понятие подразумевает уважение человека к гуру.

Р.М.: Лама является тибетским эквивалентом гуру. Насколько важен гуру для буддизма и как Вам представляется его значимость для современного мира?

Е.С.: Последователи буддизма считают, что роль духовного учителя или наставника очень важна. Четыре благородные истины будды созвучны закону природы, который диктует причинно-следственные отношения. Подобно тому как во внешнем мире существует причинно-следственная связь, эта связь есть и во внутреннем духе.

Так и альтруизм, и мудрость — качества, присущие сильному и сострадательному духу. С точки зрения буддизма они подпадают под действие закона причины и следствия. Буддисты верят, что все имеет свою причину. Без причины не могут происходить никакие значительные перемены или формирование сознания. Закон причинности определяет каждую мысль и процесс. Одно причинное условие ведет к другому, а впоследствии и ко многим другим условиям. Следовательно, как альтруизм (или внимание к другим) имеет свои причины и условия, так существуют и причины, и условия для развития мудрости.

Внутренний альтруизм, врожденное стремление уважать других как принцип поступков и мудрости привносит свои собственные причины и условия. Эти факторы могут быть внутренними и внешними. Внешним фактором является наличие духовного наставника или руководителя, а внутренним — знания, которые человек получил за всю свою драгоценную жизнь. Тренировка духа, медитация помогают развить эти качества — альтруизм и мудрость.

Мудрость не ограничивается каким-либо одним видом. Существует множество разновидностей мудрости. Осознание и понимание идеи непостоянства, того, что все в мире преходяще и будет изменяться с течением времени, — это только один вид мудрости. Понятие непостоянства можно обнаружить даже с помощью внешних научных инструментов. Однако простое наблюдение не ведет к твердому убеждению. Для того чтобы достичь более глубокого понимания, необходимо рассматривать изменения как фактор и понимать их как природу реальности. Это развивает убеждение и более глубокое понимание непостоянства. Такая мудрость, связанная с пониманием того, что независимого существования нет, называется шуньей. И в этом смысле роль духовного учителя, или гуру, очень важна.

Р.М.: *Каков процесс познания, дающий человеку возможность стать духовным учителем?*

Е.С.: Изначально это только знание. Со временем и в результате непрерывных усилий знание становится глубже; если человек прилагает еще больше усилий, он получает действительный опыт, исходящий из его растущей мудрости.

В буддизме это называется мудростью, приобретенной через слушание, созерцание или глубокие размышления, а также через медитацию. Эти действия известны как основные причины развития такой мудрости.

Существует два основных вида условий. Внешним условием является учитель, а внутренним — здоровое тело, бесценная человеческая жизнь. Когда взаимодействуют оба эти условия, человек становится способным выполнять действия, служащие основными причинами развития мудрости. Это ясно показывает, как работают причинно-следственные отношения.

Я хочу сказать, что учитель передает знание своим ученикам, но сам не может заменить ученика. Он всего-навсего наставник, и вся тяжелая работа должна быть выполнена и все усилия приложены самим учеником. Так буддисты рассматривают и Будду в качестве учителя, который руководит и указывает правильный путь своим последователям и ученикам. Его указания основаны на его собственном жизненном опыте. Буддисты верят, что изначально Будда был просто обычным человеком, как и все мы. Однако с помощью своего учителя он тяжелым трудом достиг вечности и только тогда стал тем самым Буддой. Таким образом, он как бы получил высшую степень, необходимую для того, чтобы стать учителем высшего уровня, который преподает нам, как развивать свой дух.

Р.М.: *Если гуру — это свет, освещающий путь, не могли бы Вы прояснить для нас, какими качествами и умениями, навыками должен обладать учитель в буддизме?*

Е.С.: Главная обязанность учителя — это учить, указывать правильный путь. Если ученик сбился с пути, учитель должен уметь исправить ошибку ученика так, чтобы тот не продолжал следовать ложному пути. ***Учитель должен обладать как знанием, так и опытом.*** Если он обладает только интеллектуальным знанием, он не сможет исправить ошибки, совершенные учеником.

Умения, которыми должен обладать учитель, подробно описаны в буддистских текстах и священных писаниях. В священных писаниях описываются различные умения в зависимости от того, каким учителем является конкретный человек, или от той области, в которой учитель ведет ученика. К примеру, умения, которыми должен обладать учитель монастырской дисциплины, или винайи, отличны от умений, необходимых для учителя бодхисаттвы или учителя Тантры.

Качества, необходимые как для учителя, так и для ученика, ясно описаны в *чатушатаке*, Четырех сотнях строф Арьядевы. В этом тексте Арьядева разъясняет, что учитель должен хорошо понимать интересы и умственные возможности своих студентов. Арьядева также разъясняет, что учитель должен обладать внутренней организованностью. На самом деле это один из самых важных навыков учителя. ***Если учитель не может организовать себя и малодушен в своем собственном сознании, он не сможет воспитывать дух учеников.*** Например, винайя описывает различных акарья, или учителей, различные типы аббатов в монастыре, которые должны обладать определенной квалификацией, и перечисляет качества, которыми необходимо обладать домашнему учителю, если у него обучается ученик.

Таким же образом в практике *бодхисаттвы питаки* тем, кто стремится стать учителем, преподаются шесть совершенств. Учителя смогут наставлять других только тогда, когда подробно ознакомятся с этими шестью совершенствами.

В *сутраталанкааре* Матрейя описывает десять совершенств. Первое и самое главное качество — дисциплина. Разум учителя должен быть полностью подчинен распорядку. Процесс упорядочивания разума также должен происходить в соответствии с основными текстами и писаниями. Небольших реализаций, или достижений, приобретаемых посредством чтения текстов, недостаточно. Из десяти необходимых совершенств самое главное — практика и выполнение трех правил: *шилы, самадхи* и *прайны.*

Шила, первое из этих трех правил, имеет отношение к наличию этической дисциплины или морали. Например, это может быть дисциплина любителя, или монаха, или клятвы бодхисаттвы, или *тантрик.*

Второе правило относится к одноточечности медитации, или *самадхи.* Третье правило, *прайна,* относится к «пустоте, реализующей мудрость».

Кроме выполнения этих трех правил, учитель должен также обладать и другими качествами. С точки зрения учености и знания он должен быть впереди своих учеников и обладать бóльшим опытом, чем они, так как он должен делиться своим знанием и руководить ими. Более того, учитель должен обладать глубокими познаниями в понимании неуловимого смысла *шуньяты,* или пустоты.

Наконец, квалификация учителя будет неполной, если у него нет любви к ученикам. И последнее (что, однако, в равной степени важно), он должен обладать умением разъяснять предмет, который преподает, и обладать бесконечной энергией и терпением, когда разъясняет его ученикам.

Р.М.: *Может ли любой человек, любого рода занятий или статуса, стать учеником?*

Е.С.: Важнейшие качества ученика подробно описаны в *Четырех сотнях строк* Арьядевы, который утверждает, что каждый ученик должен выполнить три условия. Во-первых, он должен быть беспристрастен и справедлив. Если он пристрастен и несправедлив, он не сможет выносить объективные суждения. Во-вторых, он должен быть достаточно умным, чтобы отличить добро от зла. Также он должен уметь пользоваться своим умом. К примеру, если учитель ведет его по ложному пути, он должен суметь без труда понять это, а не кивать головой и говорить «да, наставник». Если духовный наставник идет по ложному пути, что противоречит смыслу учения, ученик должен уметь отстаивать свою точку зрения, а не слепо следовать за учителем.

Прежде чем ученик решит поступить к кому-либо в учение, он должен навести справки и подробно разузнать об этом человеке. Это можно сделать, посетив его проповеди и послушав, как он учит других. Это очень важно, так как необходимо, чтобы ученик уважал и почитал учителя, так же как и учитель должен любить своих учеников и нести за них ответственность. Учителя и ученика объединяет совершенно особая связь. Если ученик уверен, что учитель обладает всеми качествами, необходимыми для хорошего наставника, он может стать его учеником.

И наконец, ученик должен обладать огромным стремлением к самопознанию и беспрестанно прилагать к этому усилия. Отношения между учеником и учителем должны напоминать отношения отца и сына. Если ученик должен иметь чувство духовной близости, благоговение, уважение и быть внимательным по отношению к своему учителю, то гуру должен чувствовать большую ответственность за благополучие своего ученика.

Р.М.: *Как начинается процесс обучения?*

Е.С.: Будда, высший учитель, обучал разных учеников разным вещам в зависимости от их внутренней склонности. Следовательно, не нужно воспринимать его учение дословно; в противном случае вскрывается множество противоречий. В такой ситуации человек должен сам принять для себя решение — воспринимать слова учителя с разных точек зрения и принимать их как правильное и окончательное буддистское учение.

Ученик должен научиться категоризировать уровни обучения Будды как толковательные уровни обучения. Например, если при помощи аналитической медитации можно найти противоречия в словах самого Будды, их не нужно воспринимать буквально. Даже если Будда говорил так, примите, что таков был способ донести определенную мысль до учеников, обладавших иными интеллектуальными наклонностями. Вероятно, он намеренно обучал именно таким способом. В буддистском учении необходимо проводить четкую грань между учением учителя и учением в тексте. В действительности сам Будда дал своим последователям право ставить свое учение под сомнение. Он говорил, что все мудрецы, или бриксус, должны принимать его учение, только оценив его, а не просто из уважения.

Однако, просто слушая проповедь учителя о дхарме, вы не обязаны воспринимать его как своего гуру. Например, даже на ежедневных монастырских занятиях в тибетском дворике ученики сидят со своими товарищами по учению и обсуждают различные вопросы; через обсуждение и спор они учатся друг у друга многим вещам. Это не означает, что они должны рассматривать товарищей как своих духовных гуру.

Р.М.: *Меня очень интересует такой вопрос... Если существует опытный учитель и ученик и они встречаются на жизненном пути, что происходит, если один из них уходит из жизни, смогут ли они по-прежнему иметь связь друг с другом?*

Е.С.: Если ученик правильно относится к учителю в этой жизни, со временем этот человек встретит учителя, который будет в равной степени опытным. Это становится ясным, если мы прочитаем истории о рождении Будды или других великих учителей.

Р.М.: *Обычно поиски гуру, духовного пути или даже Бога начинаются с тяжелой травмы или эмоционального расстройства в жизни человека. Прошу Вас прокомментировать эту закономерность.*

Е.С.: Полагаю, что, когда мы чувствуем себя бессильными эмоционально и психологически, нам приходит мысль помолиться высшей силе. Буддисты молятся Будде. Приносит ли это пользу, является спорным вопросом, но ментально и эмоционально человек получает утешение и облегчение.

Существуют разные философские объяснения тому, почему люди верят в Бога. Думаю, что, когда люди молятся и верят в высшую силу, на них снисходит вдохновение. И иногда они получают от этого пользу. Однако в такой вере, как джайнизм или буддизм, все происходит согласно закону причины и следствия, карме, ошибкам в прошлом, поэтому человек едва ли может избежать этого.

Р.М.: *Тогда каким образом человек обретает внутреннюю силу?*

Е.С.: В области практической деятельности мы называем это уверенностью в своих силах. В духовной области уверенность в себе также очень важна. Например, если вы сильны физически, ваше тело может противостоять любому заболеванию. Однако, если ваша иммунная система слаба, даже малейшее внешнее отрицательное воздействие может причинить множество неприятностей. Так же и в мире эмоций: если простейшие мысли и понятия сильны, а в вашей жизни происходит трагедия, возможно, она будет беспокоить вас на определенном эмоциональном уровне, заставляя испытывать горечь и разочарование. Однако это состояние быстро пройдет благодаря вашему основному ментальному отношению, вашей духовной и внутренней силе.

Волны в океане приходят и уходят, иногда с силой разбиваясь о берег, однако под ними дно океана остается спокойным и непоколебимым. С помощью знания, осведомленности и опыта вы сохраните спокойствие и силу. Ваше отношение к себе и другим должно быть правильным. И тогда вы сможете с легкостью оставить ложное и губительное отношение, так как обладаете большим состраданием.

Точно так же, если с вами происходит что-то хорошее, вы это тоже принимаете. Однако, обладая более глобальным взглядом, вы понимаете, что это не единственное событие, есть и другие, и некоторые из них не так хороши. Я ощущаю это посредством религии или веры, но с помощью осознания того, что глубокие знания помогают быть сильным внутренне.

Все относительно. У каждого события есть не единственная причина или условие, но множество причин и условий. Поэтому, когда происходит что-то плохое, нельзя винить только один фактор. Все взаимосвязано.

Р.М.: У меня вызывают большой интерес чудесные происшествия. Как, к примеру, ученик и учитель находят друг друга, когда приходит время? Верите ли Вы в то, что не поддается логическому объяснению?

Е.С.: Согласно пониманию в буддизме существует три типа логики. Есть три уровня объектов познания, три уровня реальности. Первая не вызывает сомнения: это та реальность, которая нас окружает. Здесь нет необходимости рассуждать. Вторая реальность называется частично скрытой, она не так очевидна; следовательно, необходимо положиться на исследование. Третья реальность скрыта полностью.

Например, сидит сейчас за моей спиной собака или нет? Ответ совершенно очевиден, так как здесь не видно никакой собаки. Все просто. А есть ли за стулом собака, которую вы просто не можете видеть? Вы подумаете, что раз этот стул приготовлен для далай-ламы и после его прибытия не было видно, чтобы здесь бегала какая-либо собака, то, следовательно, собаки за стулом нет.

Что касается третьего уровня реальности, или скрытой реальности, предлагаю взять в качестве примера дату моего рождения: 6 июля 1935 года. Я никак не могу знать ее сам. Я не в состоянии доказать это и могу полагаться только на слова третьего лица — моей матери или какого-либо другого человека. Я знаю, что моей матери нет необходимости говорить неправду.

Именно это я и хотел сказать: человек должен знать, когда он может полагаться на слова третьего лица.

Таким образом, существуют различные уровни реальности. Мне кажется, когда мы говорим слово «логика», то имеем в виду нечто более близкое к очевидному. Предположим, что кто-то глубоко сосредоточен или находится в состоянии глубокого *самадхи*, тогда тонкая энергия становится более активной и некоторые предметы начинают двигаться. В соответствии с первым уровнем реальности можно рассматривать движущиеся предметы как чудо. Однако, если мыслить шире, чем на этом уровне и знать, как действует система, вы не будете воспринимать это как чудо. В соответствии с законом причины и следствия внутренний элемент действует согласно внешнему таким образом, что предметы передвигаются или изменяются.

БУДДИЗМ

Р.М.: *Ваше Святейшество, буддизм — это сокровище, которое совершило путешествие из Индии в Тибет. Он хранился в Тибете, и теперь вы возвращаете его обратно, и не только индийцам, но и всему миру. Что же отличает буддизм от других духовных школ?*

Е.С.: Учения Будды Шакьямуни можно разделить на две категории: взгляды и поведение. Будда учил поведению *ахимсы*, ненасилию, непричинению вреда. Практика непричинения вреда также делится на две части: во-первых, воздержание от причинения вреда другим и, во-вторых, не только непричинение вреда другим, но принесение им пользы и работа на их благо.

Этот принцип уходит корнями в жизнь самого Будды. Если кто-то причиняет вред другим, он действует против желания Будды, однако причину отказа от насильственного поведения необходимо объяснить с точки зрения независимого возникновения. Это — центральная идея буддизма.

Говорится, что страдания, которых мы пытаемся избежать, и счастье, которого мы страстно желаем, происходят по простым причинам. *Не существует творца помимо этого. Наш собственный разум является конечным творцом.* Внутренне наш разум чист и благодатен. С хорошей мотивацией физическое и словесное действия разума положительны и дают хороший результат, который приносит удовольствие и пользу. С другой стороны, если сознание остается необузданным или становится раздражительным, мы совершаем плохие словесные и физические поступки, которые по своей природе наносят ущерб или причиняют обиду другим, а результат неприятен или причиняет боль. И наконец, все это имеет отношение к собственному разуму человека. Нельзя обвинять в своих страданиях других — только себя. Ответственность за них лежит на нас. Таким образом, буддисты верят в то, что человек сам творит себя; и не существует никакого Всемогущего Бога, или Творца.

С точки зрения ненасилия и сострадания все религии учат нас быть хорошими людьми, обладать хорошей мотивацией, хорошим характером. Хорошая мотивация и хорошее поведение исходят от горячего сердца. Все религии сходятся в едином мнении по этому вопросу, не так ли? Однако применяемые подходы различаются. Согласно некоторым религиям существует Бог — Бог как Творец, и существуем мы — как твари, то есть как Его творения. И наконец, все зависит от Бога. Если мы будем действовать в соответствии с желаниями Господа, мы достигнем вечного счастья. У всех религий более или менее одинаковая цель — принести пользу человечеству. Очень важно понимать это.

Р.М.: Буддизм — это прежде всего система личных практик и личной эволюции. В нем есть понятие бодхисаттвы, которое воплощаете Вы. Вы символизируете идею деятельного буддизма, что означает, что буддизм более имеет отношение к социальным проблемам и явлениям, а не только к личному счастью. Каким образом философская система, прежде всего направленная на личные изменения, интерпретирует социальную реальность?

Е.С.: Во-первых, я никогда не называю себя бодхисаттвой. Я просто человек, который страстно желает им стать. В действительности буддизм всегда сопряжен с обществом. Такие понятия, как *дана* (щедрость) и *шила* (этическая дисциплина), подразумевают наличие другого человека. Путь махаяны тесно связан с обществом. *Дана* означает «давать другим», а не себе. Три практики шилы — воздержание от насильственных действий, развитие, защита и увеличение доблести, а также помощь и служение всему живому — все это подразумевает взаимодействие с другими людьми, не отрицая и улучшения в себе.

Я всегда восхищался нашими христианскими братьями и сестрами, которые очень преданы Богу и в то же время связали свою жизнь со служением обществу, в особенности в области образования и здравоохранения.

Р.М.: *Ваше Святейшество, не могли бы Вы для нас вкратце описать учения Будды и Четыре благородные истины для новичка в буддизме?*

Е.С.: Будда учил о двух видах причин и следствий. Одна из них — это причина и следствие обмана. Например, если причиной является плохой поступок, результат оказывается плачевным. Вторая — это причина и следствие, равные чистому явлению, то есть добродетельная причина и счастье, возникающее в результате.

Первая истина — Истина страдания. Во-первых, страдание страдания — его испытывают как люди, так и животные.

Во-вторых, страдание перемен — это страдание голода и жажды. Мы едим и пьем, чтобы превозмочь это страдание, однако, если мы будем и дальше продолжать есть и пить, это может стать причиной других страданий. Такое страдание люди нередко испытывают в так называемых развитых странах. Когда люди получают что-то новое — новый фотоаппарат, новый телевизор, новую машину, они очень счастливы. Однако очень скоро это ощущение счастья уменьшается, и новая вещь становится источником беспокойства. Люди выбрасывают ее и хотят другую. Мы называем это страданием перемен.

Третий вид страдания — это страдание условий. Наша физическая форма, совместный продукт наших действий и иллюзий, является первопричиной этого страдания. Наши собственные действия и иллюзия, а также наша настоящая форма привели к нашему возрождению.

Избавление от первых двух видов страдания — это не то, что имеется в виду под нирваной, или освобождением. Когда мы сидим здесь и чувствуем себя хорошо, мы свободны от первого страдания — страдания страдания. Однако в действительности на нас действует второе страдание — страдание перемен. Некоторые люди силой своей *саматы* и медитации *випасьяны* способны выйти за рамки поверхностного страдания и счастья и оставаться в нейтральном состоянии разума. Они свободны от двух первых видов страдания. Когда они также освобождаются от третьего вида страдания, их совокупности, продукта совместного действия поступков и иллюзий, они достигают нирваны. Эти три вида страдания составляют Первую благородную истину, Истину страдания.

Для того чтобы достичь избавления от страдания,

необходимо устранить его причину. Причина находится в нас самих. Это и есть Вторая благородная истина — истина о причине страдания, согласно которой наше счастье и страдания возникают как следствие наших собственных поступков, или кармы, то есть фактора, который вызывает мотивацию к действию.

Третья праведная истина — это истина прекращения страдания. Способом, с помощью которого человек находит путь к прекращению страданий, является Четвертая благородная истина. *Однако прежде всего необходимо очень тщательно подумать, возможно ли устранить страдание или нет.*

Р.М.: *Какова философия и принципы, на которых основан тибетский буддизм?*

Е.С.: Изначально тибетцы исповедовали религию под названием бон. Тибетцы сравнивали бон с буддизмом. Мы думали, что буддизм глубже и шире, поэтому большинство приняли буддизм в качестве своей религии. На протяжении более чем тысячи лет буддизм, я полагаю, очень хорошо сохранялся на Тибете. Когда мы прибыли в Индию в качестве беженцев, у нас появилась возможность установить контакт с внешним миром. На протяжении последних двадцати семи лет мы встречались со значительным количеством индийцев, которые интересуются дхармой будды; некоторые из них изучают буддизм достаточно серьезно.

Религию, известную как буддизм, проповедовал Будда Шакьямуни. Существует две основные системы буддизма: махаяна, Большая колесница, и хинаяна, Малая колесница. Будда Шакьямуни в своих публичных учениях проповедовал систему хинаяны, которая и была зафиксирована. По очевидным и научным причинам учения махаяны были доступны только очень ограниченному кругу людей. В учениях махаяны не только разъяснялась техника тренировки сознания, но также и расположение жизненно важных точек тела. Последнее касается физического тела, и эта часть учения называется тантраяна.

Есть два способа обучения дхарме будды. Один из них — когда гуру учит учеников; в некоторых случаях перед началом учения произносятся молитвы. Другой способ — это простое неформальное обсуждение, необязательно между гуру и учеником.

Например, возьмем меня (в качестве примера). Я дал обет *бхикшу* (нищего), в соответствии с *винайя-сутрой*, на котором и основана моя повседневная жизнь и поведение. Я живу как монах. В нашей традиции монахи, посвященные в духовный сан, следуют 253 правилам. Среди этих 253 правил некоторые могут быть нарушены только в зависимости от *бхикшунис*. До настоящего момента в тибетском буддизме не было *бхикшунис*, поэтому нам нет необходимости беспокоиться об этих правилах; однако я не знаю, что случится в будущем. Необходимо выполнять эти правила. Моя ежедневная практика развития бодхичитта основана на *каруне* и *метри* учения махаяны, поэтому она является основной практикой. Также я ежедневно практикую упражнения из *винайя-сутры* — суть учения хинаяны, включая некоторые упражнения из *саматы и випасьяны*. Кроме того, во время практики бодхичитта я выполняю *шесть парамитас*, столько — сколько могу. Также мы практикуем божественную йогу вместе с *мандалой*, ее различные разновидности.

Таким образом, один человек — всегда в одно и то же время, в одном и том же месте — практикует одновременно все эти три учения. Буддизм, в котором наиболее полно представлены все три системы, сохранился в тибетской общине. Следование сути этих трех систем одним и тем же человеком является уникальным качеством тибетского буддизма.

Р.М.: *В чем, по-Вашему, различаются две основные школы буддизма, или, как их называют, колесницы, — махаяна и хинаяна?*

Е.С.: Согласно учению школы ваибхашика — школы хинаяны наш добрый наставник Будда Шакьямуни сначала был обычным человеком. Он культивировал альтруистическое отношение, присущее *бодхичитте*, занимался практикой пути и достиг просветления в конце своей жизни. Согласно системе махаяны, если бы Будда Шакьямуни в течение своей жизни был простым смертным до того, как достиг просветления, возникли бы определенные противоречия.

В писаниях системы хинаяна упоминаются некоторые отличия между наставником Буддой и Сравакой и пратиекабуддхас по отношению к избавлению от заблуждений, к осознанию и избавлению от страдания. И хотя между реализациями, отречениями и избавлением от страдания существуют отличия, они объясняются только типом практики, с помощью которой в результате достигается состояние просветления. Сложно связывать это только с одной причиной, человек может достичь два разных результата. Хотя можно сказать, что определенные различия могут возникнуть из-за продолжительности времени, потраченного на практику пути, это не объясняет больших различий между реализациями Будды и Архатца. Так как другой путь системы хинаяны не может объяснить большие различия между просветлением, достигнутым Буддой и просветлением Архатца, он показывает, что существует другая техника, стоящая выше пути хинаяны.

В любом случае, согласно объяснениям как системы махаяна, так и системы хинаяна Будда Шакьямуни повернул колеса дхармы в первый раз, когда возникло его учение о Четырех благородных истинах, и, следовательно, учение Будды должно объясняться на основании Четырех благородных истин.

Р.М.: Буддизм делает акцент как на методе, так и на мудрости. Ученая мудрость может быть достигнута с помощью изучения жизни наставников. Что касается метода, это более сложный вопрос.

Я могу знать, что необходимо сострадание, однако изменить что-то в себе очень сложно. Что должны делать люди, которые формально не являются буддистами, чтобы измениться?

Е.С.: Если все человеческие поступки будут движимы состраданием, все поступки станут гуманными. Без сострадания наши поступки становятся слишком механическими. Если то, что мы делаем в любой области — образовании, экономике, научных исследованиях, будет движимо (мотивировано) искренним состраданием, а не только мыслью о том, какую прибыль можно из этого извлечь, или временной выгодой, они принесут пользу другим. И тогда наша повседневная деятельность станет деяниями бодхисаттвы.

Р.М.: В буддизме состояния прекращения всех страданий, или нирваны, достигают немногие. Однако миллионы обывателей переживают самсару и живут такой жизнью, когда некоторые вещи находятся под контролем, но большинство — нет, и это корень неистовства современного разума. Каков Ваш совет простым обывателям?

Е.С.: Очень помогает знание или понимание, постижение природы *самсары*, природы человеческой жизни. Когда мы сталкиваемся со своими проблемами или проблемами других, мы начинаем понимать, что они возникли благодаря основной природе *самсары*. Когда происходят обычные вещи, мы считаем их естественными. Когда происходит что-то необычное, сознание легко выходит из строя. Если мы будем рассматривать эти проблемы как нечто естественное, чувство обиды станет меньше. В то же самое время мы стремимся к нирване, потому что эти проблемы существуют. Однако известно, что достичь нирваны непросто, и, если иметь это в виду, проблемы покажутся нам меньше.

Каждый человеческий поступок, плохой или хороший, основан на мотивации. Иногда поступок может казаться плохим, однако мотивация, побудившая его совершить, — чистая, искренняя и открытая.

Иногда обстоятельства заставляют человека сердиться или обижаться. Когда мы обладаем неким пониманием *самсары*, мы способны контролировать или, по крайней мере, свести к минимуму негативные мысли в таких обстоятельствах. В результате сознание не утратит спокойствия. Если мы правильно понимаем путь, действительное конечное состояние и метод, ведущий к нему, и даже если мы не можем применить эту практику в нашей повседневной жизни, одно это понимание поможет нам выстоять перед лицом повседневных трудностей.

По сравнению с монахом у обычного человека больше работы. Нужно уделять время мужу или жене, следить за детьми, а когда появляются внуки, количество людей, которым нужна ваша помощь, возрастает.

Проходя через все это, прикоснитесь к чему-то значительному — в данном случае наиболее важна мотивация. В жизни нам иногда приходится произносить грубые слова или принимать действенные меры для того, чтобы защитить свою семью или принести ей пользу — ключевым моментом здесь является мотивация. Те же действия, и даже более жесткие, совершенные с искренним и хорошим намерением, являются искренними и хорошими. К примеру, враг хочет ранить или убить двух человек. Они оба сопротивляются, чтобы защитить себя. Однако один из них делает это с эгоистичной мотивацией, испытывая к врагу сильную ненависть. Другой человек также сопротивляется, однако с другим намерением: «Если я позволю этому человеку убить себя или сделать то, что он хочет сделать, он причинит мне вред, однако в результате примет на душу грех и будет страдать». Возможно, он испытает временное удовлетворение, однако в итоге будет страдать, разве не так? И если этот человек будет сопротивляться с целью спасти врага от совершения преступления, то же самое действие оказывается совершенно иным, так как им движет совершенно иная мотивация.

Например, когда китайцы захватили Тибет, мы пытались бороться с ними. Мотивацией было то, что мы искренне уважаем китайцев: они такие же люди, как и мы, они жаждут счастья и не хотят страдать, однако нам нужно защищать себя, чтобы остановить китайцев от неблаговидных поступков, не теряя сострадания и уважения к ним.

Иногда буддисты, даже такие, как я, которые стремятся стать бодхисаттвой, относятся небрежно к помощи или служению другим. В Писании ясно говорится о том, что нужно пожертвовать своим собственным телом, своими собственными органами; следовательно, служение обществу должно быть высшим приоритетом.

Р.М.: *Ваше Святейшество, по Вашему мнению, насколько просто или сложно достичь нирваны для человека, который стремится к этому?*

Е.С.: Во-первых, необходимо обрести знание о природе *самсары* и природе нирваны, а также, возможно, о методах достижения нирваны, хотя их сложно применить в настоящее время. Возьмите мой собственный пример. В моей ситуации очень сложно выполнять некоторые практики, например *самату*. Для этого необходимо жить в полной изоляции, в отдаленном месте, по крайней мере в течение нескольких лет, в противном случае невозможно достичь уровня *самадхи*. В настоящих условиях для далай-ламы это невозможно. Без этого качества невозможно достичь просветления в этой жизни. В особенности ануттара-йога-тантры, которую мы практикуем, прежде чем физическое тело начинает стареть. В возрасте 30 — 35 лет физическая энергия начинает уменьшаться. Возраст далай-ламы — 72 года, таким образом, этого практически невозможно достичь.

Р.М.: Не могли бы Вы дать нам практический совет по поводу того, что беспокоит нас всех, — как правильно противостоять неблагосклонным обстоятельствам?

Е.С.: Если вас преследуют неблагоприятные обстоятельства, прежде всего сохраняйте спокойствие. Не нужно переживать или нервничать. Теория кармы и понимание того, что все существование в этом мире по своей природе связано со страданием, поможет сохранить спокойствие. Даже если мы обладаем самой лучшей силой суждения, у нас могут возникнуть неприятности. Самое важное — сохранять спокойствие, так как, только освободившись от эмоций и беспокойства, мы будем способны на исследование. Рассудите все спокойно и только затем принимайте решение. Если решение оказывается неправильным, не сожалейте ни о чем. Такое отношение очень помогает, так как мы не обладаем способностью предвидеть будущее...

КАРМА

Р.М.: *Ваше Святейшество, я бы хотел начать разговор о карме, о том, что привело меня сюда. Все началось с того, что я начал приходить к Вам в конце шестидесятых годов — и вот я снова возвращаюсь сюда, и у меня нет иного сознательного желания, кроме того, что ведет меня сюда, и я чувствую, что не в силах его сдержать. Если это все моя карма — тогда свободный выбор является иллюзией?*

Е.С.: Мы не можем повлиять на деяния кармы, которые мы накопили в прошлом. Нам приходится пожинать их плоды. Однако мы можем контролировать свою карму, так как то, что произойдет с нами в будущем, определяется нашими поступками в настоящее время.

Все, что с нами происходит, является следствием нашей собственной прошлой кармы, наших поступков. Существуют определенные относительные различия — к примеру, когда мы говорим о смерти. Есть три вида смерти: вследствие кармы, когда добродетели человека истощены и случайная смерть. И все они связаны между собой, так как в их пределах также стоит вопрос о том, что является причиной смерти в каждом конкретном случае. Подобным образом некоторые заболевания связаны с кармой и возникают из-за дисбаланса духа, дисбаланса в теле, в силу влияния характера и т.д.

Здесь необходимо разъяснить два фактора: причины и обстоятельства. Условия относятся к непосредственным обстоятельствам. Это то, на что человек может воздействовать и чем может управлять.

Невозможно управлять кармой, которую мы приобрели в прошлом. Те поступки уже были совершены, и в нашем сознании остались только их отпечатки. Мы вынуждены пожинать их плоды. То, что произойдет с нами в будущем, находится в наших собственных руках и определяется нами. Например, если мы совершили преступление, нам приходится испытывать последствия этого деяния. Но если у нас есть возможность принять некие меры по его искуплению, — это своего рода запасной выход. Это возможность нейтрализовать карму через практику исповеди и очищения. Подобным образом хорошую карму, накопленную в прошлом, можно разрушить мощными неблаговидными действиями, такими как гнев. Так же возможно, что одно сильное действие, карма, нейтрализует другое действие.

Р.М.: *Как с точки зрения кармы объяснить, с одной стороны, увеличение численности населения в мире и, с другой стороны, рост числа насекомых? Откуда происходят все эти существа и создания?*

Е.С.: Многие системы Вселенной бесконечны; следовательно, существа бесконечны по числу. Все вселенные исчезают на каком-то этапе. В то же время существуют бесконечные галактики, некоторые из них только возникают, некоторые остаются, другие исчезают. После разрушения освобождается определенное место — всего лишь место. Затем снова возникают новые галактики. Этот процесс бесконечен — мы похожи на посетителей: мы приходим, остаемся на какое-то время и уходим без потерь.

Р.М.: *Каким образом это бесконечное путешествие сознания вписывается в противоречие совершенства и несовершенства — в карму? Почему возникает противоречие между иллюзией и реальностью и каким образом его преодолеть?*

Е.С.: Арьядева в своих Четырех сотнях строф говорит о том, что вся существующая материя, все частицы — включая форму (например, эту книгу) — обладают протяженностью, не имеющей начала. Это означает, что если бы мы искали протяженность материи этой книги, мы стали бы искать глубже — ее главную причину, ее косвенную причину и т.д. В конце концов мы бы обнаружили, что начала не существует вообще. Но если бы мы сожгли эту книгу, ей пришел бы конец. Сознание же не обладает ни началом, ни концом.

Что касается просветления, основного сознания, оно не имеет начала и конца, однако у определенных типов сознания, таких как невежество, ненависть, гнев и верность — отрицательные мысли, — нет начала, но есть конец. У этой книги есть конец, потому что существует нечто, служащее «противоядием» ее последовательности и с помощью чего она может быть уничтожена. Сходным образом такие негативные аспекты сознания имеют свои противоположные факторы, которые являются противоядием для их устранения. То же относится к алчности. Так как оно ложно, оно является ошибочным сознанием и, следовательно, лишено надежной поддержки.

С другой стороны, мудрость, реализующая пустоту, которая является противоположным фактором ошибочного сознания, имеет надежную поддержку, так как является надежным познанием. Так как эти два типа сознания прямо противоположны друг другу по способу вовлечения в предмет, один является противоядием для другого. И личность должна принять эту данность.

Должно существовать окончательное решение, когда мы достигаем просветления, или нирваны, — необходимо разрешить противоречие. Так как оно существует и один из факторов обладает, а другой не обладает надежной поддержкой, тот, который не обладает ею, впоследствии подавляется и устраняется.

Необходимо понимать, что по своей природе разум чист и не введен в заблуждение. И хотя человек может быть очень вспыльчив и легко поддаваться гневу, гнев не всегда одолевает его, пока существует сознание. Разгневанный человек в некоторых случаях может испытывать любовь. Основное сознание этого человека — это не гнев и не любовь. Мы находим, что эти различные аспекты сознания временные и что его основное качество — ясность. Это показывает, что сознание обладает потенциалом к устранению заблуждений, и в итоге человек может достичь освобождения, или нирваны.

Р.М.: *Как с точки зрения науки объяснить отсутствие начала и конца? Возможно ли это с точки зрения логики?*

Е.С.: Чтобы понять это, необходимо понимать четыре типа суждений: логическое суждение, суждение функций, суждение зависимости и суждение реальности природы. К примеру, если бы нам нужно было объяснить, почему некоторые субстанции, например молекулы, обладают особой силой, которая заключается внутри них, ответом было бы то, что такова их природа. Дальнейших умозаключений не существует — это закон природы.

На основе этого мы получаем закон зависимости. Так как между различными явлениями существует взаимосвязь, осуществляемая их составными частями, они обладают определенными функциями, определенными аспектами. Исходя из этого, можно понять, почему материя возникает как нехватка сознания, нехватка знания или почему сознание возникает с таким качеством ясности, — это просто его природа.

Р.М.: *Однако что есть начало начала реальности и иллюзии? Если посмотреть на человеческие страдания, приходится признать, что иллюзия более распространена, чем реальность. Почему это так?*

Е.С.: Это объясняется невежеством — первой из Двенадцати связей независимого начала. Почему существует невежество? Ответ заключается в том, что у сознания нет начала. Если мы будем настаивать на начале целостности сознания, нам придется взять за основу главную причину сознания, которая не является самим сознанием. Это нечто очень важное. Существует две вещи — материя и сознание. Это две отдельные сущности. Однако между ними существует связь. Так же как материя нуждается в материи для собственной причины, или основной причины, так и сознание требует другого сознания для своей основной причины.

В целом существует два типа причин — действительная причина и условие, то есть главная, или основная, и сопутствующая причина. В рамках основной причины также существует множество различных причин, например прямая главная причина, косвенная главная причина и т.д. Так как сознание требует другого сознания для основной главной причины, приходится согласиться, что не существует начала для этих типов сознания. Так как сознание не имеет начала, не имеет начала и невежество.

Р.М.: Если принимать кармическую теорию причины и следствия, тогда также необходимо принять некую протяженность сознания после смерти. Как Вы объясните отношения между личностью и сознанием в пределах цикла рождения и смерти?

Е.С.: Ответ — бесконечные перерождения. Есть индивид, наделенный этой непрерывностью сознания, которая предопределена. Например, я, прежде всего, являюсь чувствующим существом. В этой категории все мы одинаковы и находимся на одном уровне; во-вторых, я азиат. С этой точки зрения большинство людей являются азиатами, а некоторые — не являются. Помимо всего этого я тибетец, а большинство из вас — нет. Дальше — еще сложнее. Я — монах. И в рамках этого я — далай-лама. Таким образом, понятно, что один человек может быть многими одновременно. Например, обстоятельства могут измениться, если люди перестанут считать меня далай-ламой, и тогда далай-лама перестанет существовать. Однако человек не меняется, остается монахом. Далее, если я разоблачусь, значит, я больше не монах, однако по-прежнему остаюсь тибетцем и существом чувствующим. Это происходит именно так.

Когда придет смерть, я перестану быть тибетцем и одновременно человеком, однако останусь существом чувствующим. Ясно ли это? И затем, в своем следующем рождении, я могу принять вид человека или животного. Предположим, что сознание, чувствующее существо, меняет свое физическое тело и теперь принимает физический вид животного, то есть чувствующее существо становится животным. В последующем рождении это тело может измениться и стать человеком... Таким образом это продолжается.

Индивид проникает везде, это всепроникающее «я», которое проходит через все жизни, прошлые жизни, эту жизнь, будущие жизни, просто собственную личность существа. Есть разные типы личности. Личность, пришедшая из прошлых жизней, личность, которая переходит в следующую жизнь, личность этой конкретной жизни, личность монаха и т.д. Можно провести такие различия.

Р.М.: *Ваше Святейшество, существует ли такая вещь, как коллективный разум или карма? Когда, к примеру, страдают группы людей, сообществ или наций, какова их карма?*

Е.С.: Существует несколько видов кармы, и один из них — это коллективная карма, которую мы накопили все вместе, и результат, который также приходится испытывать всем нам. Есть и другие виды кармы, накапливаемые индивидуально, и их результат должен переживаться индивидуально. То, что все мы имели возможность собраться сегодня здесь, является следствием кармы, которую мы накопили сообща. Это не означает, что все эти кармы были накоплены в одном и том же месте в одно и то же время.

В настоящий момент, как вы видите, вся тибетская нация проходит через некоторые страдания. Я полагаю, что общей причиной этого необязательно является то, что это поколение создало такую карму вместе в одном и том же месте, однако они могли создать то же количество кармы в различных местах и в разное время. Из-за их общего страдания возможно, что карма могла быть создана в прошлом всем сообществом в целом. Например, миллионы людей оказались втянуты в Первую мировую войну. Многие люди создавали оружие, имея определенное общее намерение, или мотивацию. И это создает общую карму.

Р.М.: *Не может ли теория кармы использоваться для оправдания существующей агрессии, жестокости или несправедливости и для достижения собственного привилегированного положения?*

Е.С.: Полагаю, что в некоторых случаях это возможно. В наше время существует большое социальное неравноправие. Некоторые люди очень бедны, другие живут богато. Сетования бедных людей, находящихся в трудной ситуации из-за своей кармы, которую невозможно изменить, не помогут. Кто создал карму? Мы сами. И то, что происходит с нами сегодня, определяется нашей прошлой кармой. Мы создали карму; карма находится в наших собственных руках, лежит на наших плечах.

Р.М.: *Когда мы говорим о контроле населения, его стабилизации, экономической ситуации — это все обман разума? Как все это соотносится с понятием кармы?*

Е.С.: Чтобы человеческое общество было лучше, необходимы более высокие стандарты, лучшее планирование, контроль населения. Правильно это или нет, зависит от мотивации. Если население выходит из-под контроля, в результате страдание только увеличивается. Имея положительную мотивацию и заботясь о благополучии людей, принимать меры для того, чтобы уменьшить страдания, — правильно.

РЕИНКАРНАЦИЯ

Р.М.: *Многие считают, что Вы являетесь перерождением Авалокитешвары, Будды Сострадания. Осознаете ли Вы, что являетесь реинкарнацией Авалокитешвары?*

Е.С.: Авалокитешвары — нет, конечно, нет! Я думаю, что это слегка преувеличено. Я всегда называю себя буддистским монахом.

Конечно, я полагаю, что предыдущие — первый далай-лама, второй и, как мне кажется, вплоть до седьмого, — являются олицетворением того, о чем вы говорите. Это они являются перевоплощениями Авалокитешвары, в особенности первый и второй. Что касается меня, я не думаю, что я являюсь перевоплощением самого первого далай-ламы. Но я чувствую особую взаимосвязь с пятым и тринадцатым далай-ламами.

Есть разные виды реинкарнации. В некоторых случаях это тот же самый человек или существо. В других случаях это кто-то другой, пришедший на его или ее место. В некоторых случаях реинкарнация приходит в виде родственника. Если вы спросите меня, являюсь ли я перевоплощением далай-ламы, я отвечу «да», но необязательно в том смысле, что пришел на место десятого далай-ламы, чтобы выполнять его работу. Если вы спросите меня, являюсь ли я перевоплощением тринадцатого далай-ламы, я отвечу вам «нет».

Р.М.: *Ваше Святейшество, с Вашим пристрастием к научному методу, логическому анализу и рациональности — как Вам удается мириться с тем, что Вы сами являетесь реинкарнацией?*

Е.С.: Понятие реинкарнации можно трактовать по-разному. Полагаю, что для меня это означает намеренное рождение с целью преуспеть в том, что началось в предыдущей жизни или в незаконченной работе в предыдущей жизни кого-то еще. В этом смысле я считаю себя реинкарнацией. Более того, будучи буддистом, который продолжает изучать буддистскую логику и философию, я должен буду признать, что некоторые вещи не существуют, — если это будет научно доказано. Например, если реинкарнация будет подробно изучаться с научной точки зрения и будет на сто процентов доказано, что ее не существует, теоретически говоря, буддистам придется с этим согласиться.

Однако необходимо видеть разницу между просто отсутствием доказательств и наличием материального доказательства того, что нечто не существует. С точки зрения буддиста, если что-то невозможно найти с помощью философии, это не означает, что этого не существует. Мы верим, что это существует, однако доказательство этого зависит от многих факторов.

Р.М.: *Чувствуете ли Вы себя перевоплощением тринадцатого далай-ламы и есть ли у Вас какая-то незаконченная работа, которую необходимо завершить?*

Е.С.: Должен сказать и да, и нет. Я трижды встречался с тринадцатым далай-ламой во сне. Я не верю, что являюсь именно этим существом, однако я чувствую, что между нами есть сильная кармическая связь. Тринадцатый далай-лама во многом преуспел как во временной, так и в духовной областях. Однако мы также верим, что у него был и более долгосрочный план работы, который потребовал бы больше времени, чем длилась его жизнь. Он умер, когда ему не было шестидесяти, и работа, которую он начал, не завершена.

Р.М.: *Вы точно это знаете?*

Е.С.: Нет, не точно. Но я это чувствую.

Р.М.: *Физическое тело разрушается смертью — таким образом перевоплощается душа, или сознание?*

Е.С.: Во-первых, необходимо задать себе самый важный вопрос: «Что такое личность, или «я»?» Несомненно, это тело не является центральным существом; и душа отдельно тоже не является центральным существом. Для меня Тензин Гьятсо — это человек. Однако с буддистской точки зрения по системе махаяна центральное существо, Тензин Гьятсо, предопределяется в данном случае как человек и является сочетанием этих тела и души. Это тело происходит от родителей и подчиняется множеству причин и условий.

Жизнь выбирается благодаря сочетанию тела и души, также более тонкого уровня тела и более поверхностного уровня души. Процесс перерождения — это продолжение души, или продолжение существования. Реинкарнация — это намеренное рождение в определенном месте в определенное время. Это может быть тот же самый человек и то же самое существо или другой человек, который пришел, чтобы исполнить свою предыдущую незавершенную работу.

В итоге некоторые буддистские письмена гласят, что космическая частица — изначальная причина этого тела и что эта частица была также причиной всей предыдущей Вселенной. Однако сознание, или душа, меняется каждое мгновение. Следовательно, можно показать, что эти причина и условия повлияют на все, что проходит через изменения. Душа как таковая также является продуктом причины и условий. Это основа теории перерождения.

Р.М.: *В настоящий момент есть ли у Вас воспоминания из прошлой жизни?*

Е.С.: Иногда бывает нелегко припомнить, что было сегодня утром! Тем не менее, когда я был ребенком лет двух-трех, моя мама и некоторые близкие друзья запомнили, что я рассказывал о воспоминаниях из своей прошлой жизни. Это возможно! Но если вы спрашиваете о каком-то конкретном воспоминании, должен сказать, что это остается неясным.

Р.М.: *Если буддизм открыт для научного сомнения, почему же вера в реинкарнацию по-прежнему жива? Не существует какой-либо науки или причины, подтверждающей это явление.*

Е.С.: Как известно, наука занимается исследованиями того, что можно измерить или посчитать. Понятие души само по себе измерить невозможно. Думаю, до настоящего момента научное поле с буддистской точки зрения было и есть достаточно ограниченно. Душа и сознание выходят за его рамки. Так как уже были проведены многие сложные эксперименты на мозге умирающих людей, возможно, это приведет к более широкому полю. Но в то же время нужно принимать во внимание разницу между фактом, что наука чего-то не обнаружила, и научным утверждением, что чего-то не существует.

Р.М.: *Ваше Святейшество, относится ли это к перевоплощенным ламам, которые в определенной степени помнят свою прошлую жизнь?*

Е.С.: Представление о реинкарнации характерно не только для буддизма. На самом деле есть две девочки, которые родились в семьях, живущих возле Палампур и Амбалы. Сегодня, если они живы, им должно быть шесть или семь лет. Около двух лет назад я послал людей исследовать этот вопрос, так как в то время эти девочки, которым тогда было около четырех или пяти лет, очень ясно рассказывали о своей прошлой жизни и о том, что родители одной из них были родителями другой. В результате теперь у каждой из девочек по четыре родителя — родители из этой и родители из прошлой жизни. Их воспоминания были такими убедительными, что родители каждой из них приняли вторую как собственного ребенка.

Мне знаком также похожий случай, когда маленький мальчик утверждал, что у него были жена и дети, а родители били его, называя лжецом. В конце концов случайно один человек из деревни, в которой, как утверждал мальчик, у него осталась семья, рассказал, что там живут люди именно с такими именами, которые упоминал мальчик. Мальчика отвезли в другую деревню, где он узнал свою жену из трех или четырех женщин и рассказал о своих детях!

Р.М.: *Вы думаете о реинкарнации в Вашей следующей жизни?*

Е.С.: Конечно! Как говорил Шанти Дева, «пока есть космос, пока есть страдание чувствующих людей, я останусь, чтобы служить, чтобы работать для них». Эта строфа дает мне внутреннюю силу, надежду и четкую цель моего существования.

Без сомнения, я готов к этому, если моя реинкарнация принесет пользу. Я уверен, что пройду через процесс перерождения. Я не знаю, в каком месте, в какой форме, под каким именем. Однако реинкарнация далай-ламы — это другой вопрос. Возможно, придет время, когда институт далай-ламы больше не будет приносить пользу и в нем больше не будет необходимости. В этом вопросе я остаюсь открытым.

Что касается моего возрождения, я твердо верю, что мои перерождения будут происходить до достижения просветления. Даже после достижения царства Будды я буду продолжать где-то существовать в других проявлениях. Такова вера и мышление буддистов. Я действительно верю, что такое учение поддерживает в человеке оптимизм, волю и решительность.

Р.М.: *Ваше Святейшество, люди, которые не верят в реинкарнацию, выступают против контроля рождаемости, так как, по их мнению, многие души ожидают рождения в человеческом облике. Прокомментируйте, пожалуйста.*

Е.С.: Это можно свести к следующему: в мире достаточно всего, чтобы удовлетворить нужду, но не достаточно, чтобы удовлетворить жадность. Это уравновешивает кармическое понятие реинкарнации. В мире есть достаточно ресурсов, чтобы накормить каждого человека, если бы распределение было более совершенно и люди не стремились накопить больше, чем это необходимо. Эти две теории в какой-то степени уравновешивают все, если в этом смысле можно распределить благополучие между людьми. Такое огромное количество продовольствия уничтожается, выбрасывается в океан, в то время как миллионы людей голодают. Думаю, что отчасти это как моральная слабость, так и слабость кармы.

Полагаю, что путаница возникает по поводу того, что́ именно проходит через процесс перерождения. Существо, личность? Становится ли это частью более широкого сознания, частью того, что снова проявляет себя? Думаю, именно здесь возникает недопонимание. При этом также нужно помнить, что какое-то число душ ожидают своего возрождения. А это предполагает существование многих различных существ или личностей, которые ожидают своего возрождения. Если мы будем правильно понимать то самое «я», тогда изменится и наше отношение.

Р.М.: *Однако я не знаю, что есть «я». Если я рождаюсь снова, я не понимаю, кем я был прежде! Если я не осознаю, что это я, какое значение это имеет?*

Е.С.: Чья это протяженность сознания? Кому оно принадлежит? Ответом на этот вопрос будет то, что оно принадлежит самому существу. Может ли человек найти себя — это самое «я» — или нет, это совершенно другой вопрос. Если человек говорит, что его предыдущая жизнь — это его собственная жизнь, он должен помнить ее. В данном случае это невозможно. Но это не означает, что мы не осознаем своей прошлой жизни. Мы можем осознавать некоторые события; другие же, даже в этой жизни, не можем. На этом основании невозможно утверждать, что это не был я. Другими словами, есть люди, которые очень четко помнят свою прошлую жизнь. Однако обычные люди не помнят свою прошлую жизнь, так как уровень сознания во время смерти — промежуточной стадии между прежней и следующей жизнью — наиболее тонок. Когда это происходит, поверхностный уровень сознания, на котором основаны воспоминания, не может функционировать хорошо. Человек, у которого есть некий опыт использования более глубокого уровня сознания, имеет лучшую возможность более ясно помнить свою прошлую жизнь.

Р.М.: *Пожалуйста, разъясните, что происходит с сознанием во время смерти или что заставляет одно воплощение становиться другим и переносить кармические отпечатки?*

Е.С.: Это зависит от предыдущих жизней — умственные способности благодаря *самадхи*, или умственным тренировкам, некоторые воспоминания, определенный устойчивый опыт и другие ментальные качества прошлой жизни остаются и в следующей. Однако тело меняется, так же как и поверхностный уровень сознания, так что в следующей жизни остается не так много следов. Но опять же, всегда существует небольшое влияние, или отпечаток, предыдущей жизни.

Р.М.: *В тибетской традиции есть практики и упражнения, которые учат, что делать и как управлять тонким уровнем сознания в момент смерти. Когда физическое тело и грубый уровень сознания отделились друг от друга, что ведет сознание к нужному воплощению в следующей жизни?*

Е.С.: Во многом это зависит от качества или опыта, который несет в себе тонкий уровень сознания. Очень высока вероятность того, что опыт, наиболее тесно связанный с тонким уровнем сознания, передастся и в следующей жизни. Такое продолжение, или переход тонкого уровня сознания, на самом деле есть вид естественного процесса, и подобным образом «я» идентифицируется на тонком уровне сознания, и переход души этого «я» в следующую жизнь также представляет собой естественный процесс. Как я уже объяснял ранее, несет ли это сознание с собой положительный или отрицательный отпечаток, во многом зависит от того, какой была предыдущая жизнь, или карма.

Сознание требует существования действительной причины, более раннего момента сознания. Эта основная причина является доказательством того, что перерождения существуют. Если дальше искать целостность сознания этой жизни, например время замысла, тогда можно сказать, что эта протяженность берет свое начало в предыдущей жизни. В этом случае не существует причины, по которой целостность сознания должна прекращаться в последнее мгновение этой жизни, в момент смерти. По этой причине нужно беспокоиться о нашей будущей жизни. Будет ли наше будущее счастливым или несчастным, зависит от наших поступков, совершенных в этой жизни. Занимаясь делами в этой жизни, не нужно забывать думать о будущей.

Есть и другая сторона этого вопроса. Каждый хочет счастья, и никто не хочет страданий. Если бы материальный прогресс мог обеспечить всеобщее счастье, к которому мы так стремимся, в этом мире были бы люди, которые полностью удовлетворены, которые никогда в жизни не испытывали страданий. Однако до тех пор, пора у нас есть физическое тело, всегда будет существовать и потенциал для страданий, такова природа *самсары*. Рождение физического тела — основа несчастий. Если у нас есть возможность прекратить перерождение — это то, к чему следует стремиться. Мы называем это словом *мокша*, или освобождение.

Р.М.: *Готовы ли Вы согласиться с тем, что реинкарнации не существует, если этому найдутся доказательства?*

Е.С.: О, да. Я думаю, строго говоря, с точки зрения буддиста, если научный эксперимент или исследование убедительно показывает на сто процентов, что целостности сознания не существует, тогда, конечно, нам придется принять это. Обычно, исследуя что-то, мы учитываем причины, позволяющие нам утверждать что-то или принимать противоположные точки зрения. Теория перерождения касается двух вещей. Во-первых, даже в настоящее время есть люди, которые четко помнят свою прошлую жизнь; во-вторых, если целостности жизни не существует, как тогда существует весь мир, или Вселенная?

Должны быть определенные причины. Идея Творца вызвала многочисленные противоречия. Для буддистов более приемлемо принимать теорию перерождения, то есть что жизнь зависит от их поступков, и поэтому вся Вселенная приходит и уходит. Однако элемент тайны присутствует всегда.

Р.М.: *Таким образом, в соответствии с теорией кармы из-за числа комаров, которых я убил в этой жизни, мне придется в следующей жизни родиться комаром?*

Е.С.: Я очень ясно помню, что я согрешил. Однажды я убил комаров в Лхасе, Тибете и затем еще раз несколько в Южной Индии. Этих поступков достаточно, чтобы в следующей жизни родиться комаром.

Р.М.: *Каждая ли карма находит физические или внешние условия в этом мире, чтобы привнести в него равновесие или дополнить его?*

Е.С.: Если, к примеру, кто-то накопил карму, чтобы родиться в виде человека на этой планете, однако из-за определенных внешних обстоятельств эта планета была разрушена или еще не создана и т.д., в этом случае либо кармическое действие должно будет подождать своего созревания, либо рождение произойдет на другой планете, обладающей идентичной формой. Перерождение в определенной форме требует наличия внешних условий для существования особой формы. Необходимы две вещи для того, чтобы родиться человеком — одной кармы недостаточно, кроме этого нужны еще родители.

Р.М.: *Обязательно ли верить в будущую и прошлую жизни?*

Е.С.: Если мы не будем придерживаться теории перерождения и принимать существование прошлой жизни, нам необходимо установить определенную точку начала всех существ.

Обычно я говорю, независимо от того, верите ли вы или нет в перерождение, что нужно быть добрым человеком. Это качество можно развить в себе, не обязательно веря в прошлую или будущую жизнь и необязательно являясь последователем буддизма или кармической теории. Это само по себе является религией. Я абсолютно убежден в том, что даже неверующие люди, коммунисты например, могут иметь очень доброе сердце, в чем я лично имел возможность убедиться. Люди, которые жертвуют своей собственной жизнью ради блага народа, то есть люди с добрым сердцем, действительно существуют независимо от буддистской теории перерождения.

Любовь и доброта — это универсальная религия. Сегодня мы говорим о буддизме, поэтому я рассказываю об этих вещах с точки зрения буддиста. Если кто-то и без этой практики просто старается быть хорошим человеком, то, без сомнения, в этом возможно преуспеть. Если же человек не принимает существование полностью просветленного состояния, тогда вопрос *бодхичитты* также не встает, так как это — состояние души, ведущее к просветлению. Этот процесс происходит только с точки зрения буддиста.

Р.М.: *Многие люди задают один и тот же вопрос. Если буддисты не верят в атму, тогда что же проходит через процесс перерождения?*

Е.С.: Буддисты придают большое значение *анаатамаа*, и многое зависит от смысла или понимания слова «*анаатамаа*», что означает бескорыстие. Иногда путаница возникает из-за использования слова в разных контекстах. Так, говоря об *анаатамаа*, мы не имеем в виду полное несуществование номинального или условного «я»; мы полностью принимаем существование такой условной личности. В действительности мы имеем в виду существование личности, которая считается полностью независимой и не имеет ни малейшего отношения к «я» физического множества; она полностью отделена от физической личности.

Если мы с уверенностью говорим о прошлой и будущей жизнях, должна быть энергия или что-то еще, исходящее от прошлых жизней, которая входит в это физическое тело и переходит из этой жизни в другую, оставляя данное физическое тело. И это нечто должно отличаться от этого физического тела.

Согласно некоторым буддистским школам считается, что поскольку физическое тело живет только в этой жизни, то душа должна переходить из одной жизни в другую. Душа также тесно связана с различными чувствами и органами, которые также имеют физическую природу и ограничиваются только одной жизнью. Следовательно, душа должна быть очень тонкой. Это должно быть «я». Это одна из школ буддизма — *читта*. Даже в *читте* существуют различные уровни. И в конечном счете тончайший уровень *читты* и является «я».

Другая буддистская школа мысли — *мадхьямика*, а в особенности *Буддапалита* (выдающийся индийский философ, буддийский монах) и *Чандракирти* (буддийский ученый-философ VII в. н. э., представитель школы *мадхьямика — прасангика*) утверждают, что даже тонкий уровень сознания, независимо от того, насколько он тонкий, не может рассматриваться как *мое* сознание. Следовательно, само сознание и является «я». Если сознание становится «я», как обладание, так и тот, кто обладает, сливаются в одно.

Р.М.: *Если смерть — это конечное состояние сознания, тогда что можно сказать о призраках? Встречались ли они Вам когда-нибудь?*

Е.С.: Я помню, что, будучи ребенком, очень боялся призраков. У нас в буддизме есть шесть типов перерождений. Это разделение проводится по степени страдания или удовольствия. Когда разграничение проводится на основе грубого или тонкого уровня формы, чувства или сознания, чувствующие существа делятся на три области. Область *девы*, которая делится на три части, включает шесть типов *девы*, которые принадле-

жат к области желания, то есть существуют шестна-
дцать типов, принадлежащих к области формы, и четыре, принадлежащих к области бесформенного.

Таким образом, есть три области: область желания,
область формы и область бесформенного.

Призраки можно отнести к любой из этих областей
или состояний. Некоторые — плохи́е, а некоторые —
хорошие. Так же как и люди: некоторые — жестоки, а
другие — добры.

МОТИВАЦИЯ
НА ДУХОВНОМ ПУТИ

Р.М.: *Ваше Святейшество, мотивация — это ключевое понятие духовной эволюции в буддистской философии.*

Е.С.: Мотивация очень важна, и считается, что, если человек прилагает усилия, освобождения можно достичь, даже оставаясь вместе с семьей. С другой стороны, если у человека нет истинного желания, при этом он оставляет семейную жизнь, чтобы жить в одиночестве, освобождение не будет достигнуто. Это истинная правда.

Если сострадание — это основная мотивация всех человеческих поступков, все поступки становятся гуманными. Без сострадания наши поступки становятся слишком механическими. Если наша деятельность в любой области — образовании, экономике, технологии, научных исследованиях — будет движима искренним состраданием, а не только тем, какую прибыль или временную выгоду можно получить, это принесет пользу другим. И тогда наши повседневные поступки станут поступками *бодхисаттвы*.

Р.М.: *Однако в философии понятия мотивации и метода разграничиваются. К примеру, Ганди разделял метод и цель. Каким образом это разграничение проводите Вы?*

Е.С.: В конечном счете разграничение проводится на основе мотивации. Возьмем, например, насилие и ненасилие. Если мотивацией будет искреннее сострадание, неприятное слово или плохой поступок, произведенный родителями по отношению к детям, или учителем по отношению к ученикам, нельзя назвать насилием. Даже если внешне он кажется грубым, в конечном счете он не является насильственным. Точно так же, если присутствует негативная эмоция или негативная мотивация, например если человек хочет обмануть или воспользоваться другим человеком, однако использует добрые слова, на самом деле отчасти это будет являться насилием. Таким образом, мотивация — наиболее важное разграничение. С учетом сказанного получается, что, если используются радикальные или насильственные методы, их нельзя оправдать, говоря, что мотивация была правильной.

Р.М.: *Ваше Святейшество, существует такое разграничение: для буддистов на первом месте стоит мотивация, а для последователей индуизма важен метод? Не могли бы Вы разъяснить этот вопрос?*

Е.С.: Эти два фактора важны в равной степени. Для того чтобы иметь хорошую мотивацию, человеку нужно стремиться к хорошей цели.

Однажды, когда мы обсуждали насилие и ненасилие, кажется, покойный премьер-министр Индии Морарджи Десаи сказал мне, что метод очень важен. С точки зрения буддиста, мотивация и результат более важны, чем средство. Несмотря на наличие положительной мотивации и хорошего результата, насилие — это всегда плохо, так считают некоторые люди. С точки зрения буддиста, если мотивация хорошая, результат также будет хорошим. Когда мы развиваем мотивацию и осознаем, что цель — очень плоха, наша мотивация не будет хорошей. Здесь есть связь; однако, когда такое на самом деле происходит и не приносит успеха, хотя ваша мотивация и цель были хорошими, тогда в таких обстоятельствах более важна мотивация. Так как ваша мотивация хорошая, искренняя, никаких проблем не возникнет.

В Тибете статуя Будды стояла на открытом воздухе.

Шел дождь. Прохожий увидел статую и подумал: «Как смеет дождь падать на эту статую, на тело самого Будды?» Он огляделся, чтобы найти что-нибудь, дабы прикрыть статую. Ничего не найдя, кроме подошв старых башмаков, он закрыл статую этими подошвами. Другой прохожий подумал: «Как кто-то посмел положить подошвы на статую Будды?» И убрал их. Так как в обоих случаях их мотивация была хорошей, в их поступках не было ничего плохого.

Р.М.: Вы имеете в виду, что даже на духовном пути возникают разные типы мотивации? Например, сострадание и бодхичитта считаются самыми важными мотивациями на пути к просветлению.

Е.С.: Самой лучшей мотивацией является бодхичитта, то есть достижение просветления на благо другим чувствующим существам. На втором месте стоит то, что мы должны по меньшей мере стремиться достичь освобождения. Третий тип мотивации — человек должен быть свободен от привязанности к поступкам этой жизни и стремиться к счастью во всех будущих жизнях.

Прежде всего, чтобы развить подобаемую, или правильную, мотивацию, подумайте о том, что наша жизнь, которую мы так ценим, проходит очень быстро. Если бы мы были вечными, тогда имело бы значение дорожить ею. Жизнь длится не более ста лет, в редких случаях — сто двадцать или сто тридцать. Дольше обычный человек жить не может, поэтому всегда помните о том, что жизнь скоротечна.

Когда приходит то, что называется смертью, такие вещи, как богатство, слава, власть и т.д., накопленные в этой жизни, не могут нам помочь. Сама жизнь меняется каждое мгновение. Если кто-то совершенно не думает о будущих жизнях и озабочен заботами только этой жизни и стремится получить удовольствие здесь и сейчас, слишком многого желает или слишком привязан к этой жизни, в конце он столкнется с гораздо большим количеством проблем. С самого начала наше отношение к этой жизни должно быть разумным. Иногда очень полезно бывает почитать биографии более просвещенных людей. Мы должны размышлять над тем, что когда люди слишком заняты делами в этой жизни, то они сталкиваются с очень неблагоприятными обстоятельствами, а у людей с рациональным и более реалистичным подходом к жизни меньше тревог и сложностей.

Р.М.: *Как человеку достичь такой высшей мотивации, как бодхичитта?*

Е.С.: Для того чтобы у нас появилась *бодхичитта*, мы размышляем над тем, что для всех чувствующих существ, как и для нас самих, в равной степени естественно желать счастья и избегать страдания и все они в равной степени обладают правом избавления от страдания и достижения счастья. Единственное отличие состоит в том, что вы — единичный человек, в то время как другие безграничны, неопределенны по числу. Иными словами, вы находитесь в меньшинстве, а другие — в большинстве. В количестве есть значительные отличия, а чувство одинаково: *я хочу счастья, и они хотят счастья; я не хочу страдания, и они не хотят страдания*. Таким образом, между нами и другими есть четкая связь. Мы зависим от других. Без других мы не может достичь счастья ни в прошлом, ни в настоящем, ни в будущем.

Если мы будем больше думать о благополучии других, в итоге мы сами будем пожинать положительные плоды. Рассуждая об этом, мы поймем, что другие важнее нас самих, и придем к выводу, что наша судьба является вопросом одного человека. Если человеку суждено пройти через страдания, чтобы принести счастье многим другим, страдание действительно стоит того. С другой стороны, неправильно, если для достижения счастья одного человека будут страдать многие другие люди.

И наконец, думайте больше *о шуньяте*. Это — точка отсчета для начала борьбы с вашим внутренним врагом. В конце концов, это ваша собственная мотивация.

Р.М.: *Ваше Святейшество, если мотивация определяет скорее значение поступка, чем его последствия, как один поступок может исправить мотива-*

цию? В особенности когда мы знаем, что до момента достижения просветления наше сознание находится на разных стадиях заблуждения?

Е.С.: Вы имеете в виду, что буддисты говорят о важности положительной мотивации, однако пока мы не достигли просветления, наше сознание находится в заблуждении и, следовательно, как мы можем иметь хорошую мотивацию?

Как я уже говорил, на пути сражения с внутренним врагом первый шаг согласно буддизму — это защита, а второй — наступление. На первой стадии мы не в состоянии побороть заблуждение. Мы применяем защитную тактику для того, чтобы не подпасть под влияние еще больших заблуждений. То, что можно применить сразу — это сдерживать свои физические и вербальные действия от недоблестных поступков, то есть не совершать десяти неблаговидных поступков, среди которых убийство, кража и блуд по отношению к мирянам. Это то, что необходимо непосредственно соблюдать.

Всем известно, что убивать — это плохо. Закон даже иногда может приговорить виновного к смертному приговору. Всем известно, что красть — плохо. Если человек видит, что за ним следят блюстители порядка, он не убивает и не крадет, прикидываясь честным гражданином. Однако, если никто не наблюдает за ним, он будет действовать иначе, а это неправильно. Человек, следующий дхарме будды, всегда должен уметь следовать чистой морали самостоятельно, вне зависимости от того, следит за ним кто-нибудь или нет. Такой человек обладает собственной контролирующей силой внутри себя, он всегда начеку. Всегда спрашивайте себя, чиста ли ваша мотивация, всегда проверяйте себя.

Когда вы просыпаетесь утром, начните свой день с составления внутреннего плана: примите решение о том, что до самой смерти, именно с этого месяца, этого дня, вы будете жить в соответствии с моральными принципами и ничего не делать в ущерб другим, если вы не можете им помочь. Такой план необходимо составить рано утром. Если вы занимаетесь бизнесом, работаете в области машиностроения, образования или в любой другой области, следуйте высоким моральным принципам. Это важно даже на войне.

Если вам приходится сталкиваться с убийством, делайте это, придерживаясь высоких принципов в контексте человеческой жизни, не теряйте человеческого лица. Убивайте только тогда, когда это необходимо. В современном военном деле человеческих чувств становится все меньше и меньше, так как все механизировано. Машины лишены милосердия, человеческого сострадания, и естественно, войны становятся разрушительными. Погибают женщины и дети... Этого невозможно избежать. У бомбы нет сознания, она не разбирает, кого убивать, а кого не убивать, поэтому погибают все.

Мы придаем механизмам слишком большое значение. Необходимо вести нашу повседневную жизнь согласно некоторым принципам. Сила рассудка должна быть внутри нас, наш высший суд должен быть в нас самих. В независимости от существования высшего суда, наказывайте себя, как строгий судья, если вы делаете что-то неподобающее, и необязательно это делать физически, нужно и морально — раскайтесь, исповедуйтесь.

Затем, перед сном, точно так же, как человек, связанный с деньгами, подсчитывает свою прибыль каждый вечер, подобным образом и вы оценивайте все, что произошло с вами за этот день. Сколько хороших и плохих мыслей у вас было? Поскольку мы будем уделять этому особое внимание, со временем наше поведение станет лучше. Например, человек, который легко раздражается, станет мягче.

Исходя из своего собственного опыта, могу сказать, что исправить поведение возможно. Это первый уровень работы над собой. Когда вы обретете внутреннюю силу и самоорганизацию, то сможете контролировать свои проступки и станете хорошим, честным и участливым человеком, не причиняющим вреда другим; сострадания, любви и доброты станет больше. Когда ваши положительные качества будут приумножены, вы станете более решительным, отважным человеком, и сила вашей воли возрастет. Это хорошие человеческие качества, не так ли? Кроме того, употребляйте меньше алкоголя, если невозможно вообще его не употреблять. Сигареты также губительны для вашего здоровья и ваших зубов. У вас прекрасные белоснежные зубы, и портить их — это так глупо, не правда ли? Мы хотим, чтобы наше тело было здорово, но продолжаем курить и пить — в этом есть противоречие. Не обязательно быть монахом или брахманачари (брахманом), чтобы вести жизнь очень чистого и очень честного человека.

Сострадание и участие можно назвать универсальной религией независимо от того, верим мы в реинкарнацию и Бога или нет. Для буддистов неважно, верим мы в Будду или нет. Самое важное — быть хорошим человеком. Рано или поздно мы все умрем, и тогда будет слишком поздно, чтобы изменить прошлые годы или раскаяться в содеянном. Проживайте каждый день своей жизни с пользой и добром; по крайней мере, не причиняйте вреда другим, если вы не можете им помочь. И когда придет ваш последний день, вы будете счастливы, ваши друзья будут оплакивать вас, но вы будете чувствовать себя счастливым, ведь так? Вам не о чем будет сожалеть. Будучи буддистом, вы взращиваете хорошие семена в этой жизни, и, хотя никто не даст вам никаких гарантий, у вас уже будет уверенность в том, что ваша следующая жизнь будет лучше, чем эта.

СОСТРАДАНИЕ И ЛЮБОВЬ

Р.М.: *Вы часто используете слова «любовь» и «сострадание». Какова разница между ними?*

Е.С.: Я не знаю точно, в чем разница между любовью и состраданием. В санскрите эти два понятия обозначаются одним словом *«каруна»*, а в тибетском языке — двумя словами, *«инжи»* и *«чамба»*. *Чамба* означает стремление к счастью, а *каруна* и *инжи* означают стремление превозмочь страдание. Истинное сострадание не зависит от того, хорошо ли относится к тебе другой человек, оно основано на осознании и принятии того, что другой человек также является центральным существом и имеет право на счастье и прекращение страдания, независимо от его отношения ко мне. Даже враг, который причиняет мне вред, является центральным существом и имеет полное право на прекращение страданий и достижение счастья. Таким образом, истинное сострадание — это чувство заботы о каждом человеке. Сострадание — это не жалость; оно основано на уважении прав другого и признании того, что другой человек — такой же, как и ты.

Р.М.: *Сострадание — это добродетель, то, к чему нужно стремиться. Но как сострадание сделает меня счастливее и лучше?*

Е.С.: Чтобы ответить на этот вопрос, я приведу пример. Когда я встречаю кого-нибудь на улице, я изъявляю свои человеческие чувства. Независимо от того, знаю я этого человека или нет, я улыбаюсь ему. Иногда я не получаю ничего в ответ; иногда с другой стороны возникает недоумение. Но я получаю пользу от улыбки. Получает другой человек пользу или нет, зависит от его собственного образа мыслей, а также от обстоятельств. Человек, испытывающий сострадание, в первую очередь сам получает за него награду. Думаю, что очень важно понимать это; в противном случае нам будет казаться, что сострадание приносит пользу только другому человеку и ничего не дает нам взамен.

Сострадательное отношение облегчает ваше общение с другими людьми и другими центральными существами. В результате у вас появляется больше настоящих друзей; атмосфера становится более приятной и дает внутреннюю силу. Эта внутренняя сила помогает вам добровольно проявлять заботу и о других вместо того, чтобы думать только о себе.

Научные исследования показали, что людей, часто употребляющих такие слова, как «я», «меня» и «мой», повышается вероятность сердечного приступа. Если человек всегда думает о себе, его мышление становится очень узким; даже малейшая неприятность кажется очень большой и невыносимой. Когда мы думаем о других, наше сознание расширяется и в этих пределах, даже большие личные проблемы могут показаться незначительными. Мне кажется, что вся разница состоит именно в этом.

Р.М.: *Ваше Святейшество, Вы несете бремя страдания своего народа и Вашей родной страны уже на протяжении многих лет. И все же Вы несете свет бытия, спонтанную радость, которая прикасается ко всем, с кем Вы встречаетесь. Как Вам это удается?*

Е.С.: Ничего особенного! Хороший сон, хорошее питание! Я не думаю, что это что-то конкретное, это всего лишь отношение к себе и к другим. С буддистской точки зрения жизнь нелегка. Наше тело является препятствием: плохая карма, или *самсарик*, может стать причиной неприятностей. Также мы иногда наблюдаем, как происходят неблагоприятные события.

Однако их можно преобразовать в положительные; наблюдая их, можно получить опыт. Следовательно, они очень помогают нам в нашей повседневной жизни. Конечно, изначально необходимо избегать негативных последствий. Но когда что-то происходит, попробуйте посмотреть на это с разных точек зрения. Например, мы потеряли свою страну. Однако эта ситуация также дает новые возможности; если посмотреть на нее позитивно, огорчение покажется не таким уж большим.

Р.М.: *Как перемена отношения помогает человеку стать счастливым?*

Е.С.: Для меня как для буддистского монаха альтруизм, практика бодхичитты наряду с мудростью, или осознанием, является главной целью. Я верю, что аналитическая медитация — это только один из ключевых методов трансформации сознания и эмоций. Она дала мне внутреннюю гармонию и силу. Такой метод также помогает человеку изменить свое восприятие и отношение к себе, другим и непосредственно к проблеме.

Я чувствую, что по мере того, как человек развивает в себе способность заботы и сострадание к другим, самое главное, происходящее с ним, — это расширение его сознания. И тогда собственные проблемы и страдания начинают казаться очень маленькими.

Р.М.: *Как нужно развивать заботу о других и о себе?*

Е.С.: Можно начать анализировать значение отрицательных или дурных чувств по отношению к другим. Подумайте, что это означает лично для вас и что вы испытываете по отношению к себе. Затем исследуйте ценность такого внутреннего отношения и ценность сознания, которое проявляет заботу и сострадание к другим. Я предлагаю вам проанализировать и сравнить эти два внутренних отношения. По собственному опыту я обнаружил, что отсутствие уверенности в себе и незащищенность вызывают страхи, неудовлетворенность и депрессию. Однако, если вы замените заботу о себе на заботу о благополучии других, вы почувствуете спокойствие, внутреннюю силу и уверенность в себе.

Умение проявлять сострадание к другим — показатель внутреннего состояния человека, а сострадание способствует развитию внутренней силы. Нет необходимости видеть результат наших актов сострадания. В некоторых случаях чувство сострадания вообще может быть не оценено. Многим людям кажется, что любовь, сострадание и прощение выгодны только для других, но не приносят пользы для себя. Я думаю, что это неправильно. Такие положительные эмоции непосредственно улучшают внутреннее состояние человека.

Р.М.: *У буддистов необычное отношение к тем, кого называют «врагом». Например, некоторые монахи молятся на ковриках с надписью «Молись за китайцев». Какую пользу это им приносит?*

Е.С.: Для истинных буддистов враг сообщества дает реальную возможность проявить терпение и толерантность. Истинное сострадание является неотъемлемой частью толерантности. Для практики толерантности враг очень важен. Это только один способ взглянуть на данную ситуацию. В буддистской школе *махаяны* мы относимся к другим существам, как к существам, нуждающимся в материнской опеке. Нет смысла исключать людей, создающих неприятности. В рассматриваемом случае наши китайские братья и сестры также являются людьми, нуждающимися в заботе, которая сродни материнской; следовательно, нам нужно принимать их во внимание.

Есть один хороший пример. Один монах провел более восемнадцати лет в китайской тюрьме, в исправительно-трудовом лагере. Он был со мной с 1959 года. В конце 1980-х он присоединился ко мне в городе Дхарамшала. Так как мы очень хорошо знаем друг друга, я спросил у него о его опыте. Он сказал, что несколько раз был очень близок к опасности. Я предположил, что он имел в виду опасность для жизни. Я спросил, какая была эта опасность. Опасность потерять сострадание к китайцам — был его ответ. Я думаю, это было просто чудесно — ответить вот так. Думаю, что это отражение практики толерантности. Не все тибетцы разделяют это мнение.

Однажды я спросил одного тибетца из своей деревни, сердит ли он на китайцев. Прежде чем последовал его ответ, он затрясся и лицо его налилось кровью. Он сказал: «Конечно, да». Такие люди тоже существуют. Все люди — разные.

Р.М.: *Ваше Святейшество, не могли бы Вы рассказать нам о своей личной практике бодхичитты в повседневной жизни?*

Е.С.: На протяжении более 35 лет я ежедневно читал *Восемь строф трансформации мысли*. В устном виде мне их передал и обучил им Трийянг Ринпоче. Хотя я не могу уделять этому много времени, обычно я декламирую их и немного размышляю. Это очень полезно. Создателем этого текста является Кадампа Мастер Гешли Лангри Тангпа.

Великий учитель дхармы считал практику бодхичитты — обмен собой с другими — самой важной частью своей практики. Я вкратце поясню эти строфы.

1. С решимостью достичь высшего благополучия всех чувствующих существ, которые дороже даже камня, исполняющего желания, да буду я всегда ими дорожить.

Доброта чувствующих существ по отношению к нам сводится не только к помощи в достижении нашей конечной цели, просветления. Выполнение наших временных целей, таких как ощущение счастья и т.д., также зависит от их доброты. Следовательно, чувствующие существа стоят даже выше камня, исполняющего желания. Мы возносим молитву о том, чтобы дорожить ими больше камня, исполняющего желания.

2. Когда я общаюсь с другими, да буду я считать себя ничтожнейшим из всех и всем сердцем превозносить других.

Когда мы встречаемся с другими людьми, не нужно превозносить себя и смотреть на них свысока, нужно видеть в них источник счастья. Нужно дорожить ими и уважать их, так как они обладают равной возможностью совершать такие поступки Будды, как дарение нам счастья и просветления.

3. Во всех поступках да буду я искать свое сознание, и если заблуждения возникнут, тая в себе угрозу для меня и других, да выстою я перед их лицом и сумею противостоять им.

Когда мы совершаем благородные поступки, мы можем столкнуться с препятствиями. Эти препятствия — не внешние, а внутренние. Они исходят из нашего собственного сознания; это заблуждения нашего собственного сознания. Настоящий враг находится в нас самих, а не извне. Если мы умеем тренировать и контролировать свое сознание с помощью упражнений и усилий, мы обретем настоящий мир и спокойствие. Когда наше сознание выходит из-под контроля, мы сразу теряем внутреннее спокойствие и лишаемся счастья. В конечном счете мы обладаем как разрушительной, так и созидательной силой. Она находится в наших собственных руках. Следовательно, как говорил Будда: «Вы свой собственный творец, и все зависит от вашего собственного образа мыслей».

В практике бодхичитты необходимо воздерживаться от всевозможных неблаговидных поступков. Прежде всего необходимо избегать гнева. Гнев никогда не может дать счастья, в то время как привязанность в некоторых случаях может вызвать ощущение счастья. Следовательно, для того, кто практикует бодхичитту, гнев является самым главным врагом. У нас в Тибете есть пословица: «Если ты выходишь из себя и сердишься, кусай костяшки своих пальцев». Это означает, что, если ты выходишь из себя, не показывай это другим. Лучше кусай свои собственные костяшки.

4. *Когда я вижу существ, сотворенных природой, истязаемых неблаговидными поступками и скорбями, да буду я дорожить ими, как если бы я нашел редкое и ценнейшее сокровище. Встретив порочных людей, пораженных жестокими грехами и недугами, да возлюблю я их как дорогих и бесценных.*

Когда люди находятся во власти эмоциональных страданий и заблуждений, шравака (ученик Будды, святой) и пратьекабудда (тот, кто достиг нирваны самостоятельно), последователи колесницы хинаяна, стараются избегать их, так как сами опасаются быть втянутыми в страдания и заблуждения и ступить на ложный путь. Бодхисаттва, с другой стороны, взирают на страдающих и заблудших смело и пользуются возможностью принести счастье другим чувствующим существам.

5. *Если другие из зависти будут плохо обращаться со мной и буду я оскорблен и оклеветан, да буду я страдать от поражения и отдам победу им.*

Когда другие существа, в особенности те, кто испытывают к вам неприязнь, оскорбляют вас и причиняют вам вред из зависти, вы не должны покидать их, но относиться к ним с величайшим состраданием и заботой. Практик должен перенести потерю сам и предложить победу другим. Практики *бодхичитты* делают это не с намерением стать добродетельными, но скорее с мотивацией помочь другим чувствующим существам.

6. *Когда тот, кого наградил я светлой надеждой, причинит мне жестокую боль, да буду я считать его своим высшим учителем.*

Когда среди тех, кто относится к вам к личной неприязнью, есть человек, которому вы помогли, а он отплачивает вам за добро злом, вы, возможно, почувствуете, что больше никогда не захотите ему помогать. Очень сложно научиться не обвинять кого-либо в неблагодарности, и это становится камнем преткновения для человека, практикующего альтруизм. Однако должно особенно заботиться о неблагодарном человеке. Человека, причиняющего вам вред, нужно воспринимать как своего духовного проводника. Вы обнаружите, что ваш враг — есть ваш главный учитель.

7. *Другими словами, пусть явно или неявно принесу*

я счастье и благоденствие всем своим матерям и приму на себя все страдания и неблаговидные деяния их.

Каждый хочет достичь счастья и избежать страданий. Когда человек помнит, что других людей бесчисленное количество, а сам он единичен, неважно, насколько он превосходит других, так как другие становятся более ценными. И если вы обладаете силой суждения, вы поймете, что стоит пожертвовать собой на благо других. Человек не должен жертвовать бесконечным числом других на благо себе.

На этом этапе я обычно рекомендую применить особую визуализацию. Представьте себя очень эгоистичным человеком, который видит, что множество чувствующих существ претерпевают страдания. Чтобы получить еще более четкое изображение чувствующих существ, представьте в деталях, как именно они страдают. Вы сами остаетесь третьим лицом, нейтральным и беспристрастным. Затем посмотрите, чью сторону вы захотите принять. Проанализируйте, что важнее — благополучие одного человека или благополучие многих существ. Если представить это таким образом, даже самые эгоистичные политики, без сомнения, присоединятся к большинству. Как же это грустно — быть эгоистичным!

Человек, принимающий на себя все страдания и ошибки других чувствующих существ всем своим сердцем, также учится делиться с другими хорошими качествами, такими как доблести и счастье, которыми сам обладает. Воспитывайте себя. Сначала очень сложно подавить свой эгоизм — это нелегко поддается контролю. Однако, если вы будете упорно работать над собой в течение долгого времени, вы преуспеете.

Первые семь строф относятся к практике и методу условной *бодхичитты*, а Восьмая строфа относится к практике конечной мудрости *бодхичитты*.

8. *Пусть все эти деяния не будут запятнаны стремлением следовать Восьми мировым принципам, да осознаю я иллюзорность всех дхарм и да не коснется меня рабская зависимость от циклического существования.*

Если кто-то совершает поступки, мотивированные такими прозаическими мотивами и проблемами, как желание долгой и здоровой жизни, стремление к счастью и совершенству в этой жизни, то это в корне неправильно. Если кто-то надеется, что его будут называть великим религиозным практиком и т.д., это абсолютно неверно. И если человек практикует бодхичитту, альтруизм и рассматривает все объекты своего сострадания или всех чувствующих существ как действительно существующих, это также неправильно. Вы должны совершать эту практику, осознавая, что все явления — иллюзорны. Человек должен понимать, что все явления — это иллюзии силы опровержения или отрицания их действительного существования. И остается просто тень, просто ярлык и обозначение, которые являются иллюзиями. И хотя они кажутся действительно существующими, они не обладают действительным существованием.

Р.М.: Ваша книга «Искусство быть счастливым» стала бестселлером на Западе. На Востоке погоня за счастьем кажется очень западным понятием. Как Вы сами смотрите на счастье?

Е.С.: Счастье, нирвана, или *мокша*, — это свобода от страдания, от негативных эмоций, от рабства или невежества. Это понятие дхармы, в особенности в индийской философии, где освобождение от невежества, или счастье, является целью. Все существа равны в том смысле, что, включая даже животных, имеют право на счастье.

Люди верят, что экономические сложности, неграмотность и слабое здоровье ведут к несчастью. Они придают большое значение материальному развитию. Однако даже в развитых странах Запада люди страдают от одиночества, тревоги и чувства огромного внутреннего страха, часто в силу жадности, недовольства и внутреннего смятения. Ни деньги, ни технологии не могут помочь достигнуть душевной умиротворенности, которая требует правильного внутреннего отношения. Проблемы обусловлены человеческим интеллектом, и решение нужно также находить исходя из человеческого интеллекта.

Сегодня ученые заявляют о том, что интенсивная работа отдельных участков головного мозга человека оказывает позитивное влияние на общий настрой. Скоро люди осознают, что внутреннее спокойствие зависит от более открытого сердца, чувства заботы обо всем человечестве как единой сущности. Таким образом, чтобы достичь своего собственного счастья, нам нужно уважать право других быть счастливыми. Это может показаться идеалистичным, однако, как показала история человечества, многие вещи, которые казались невозможными в перспективе, в конце концов осуществились.

Мы хотим счастья, и еще раз счастья, которое исходит изнутри — это не так уж много, не так ли?

Счастье и мир, которые никто не может разрушить, украсть или отобрать. Этот внутренний мир и является самым ценным. Основой внутреннего мира являются любовь и сострадание. Если вы согласны с этим, осуществите это, если вы не согласны, это также будет правильно.

Р.М.: *Даже после стольких долгих лет скитаний и жизни вдали от дома тибетцы в Индии в целом кажутся очень миролюбивыми. Ваше Святейшество всегда излучает радость, которая так заразительна, и ее так чудесно видеть! Каков Ваш секрет?*

Е.С.: Спасибо большое. Как я уже говорил в самом начале, я сам — очень счастливый человек. На самом деле сегодня утром я почувствовал воодушевление, потому что я первый раз читал лекции или давал разъяснения с точки зрения буддизма нашим индийским друзьям. Я чувствую, и всегда буду повторять это, что, если бы слава учения Будды не расцвела в этой стране или не достигла бы нашей родины, Тибет до сих пор был бы темной страной. Но свет учения Будды достиг Тибета через многие сложные пути и в разное время и оставался здесь на протяжении многих веков. Сегодня это учение дает огромное счастье и удовлетворение душам около 10 000 людей по эту сторону длинной цепи Гималайских гор. В результате многие люди обладают тем же знанием, что и тибетцы, включая меня, — это счастливые люди, веселые и радостные, как мне кажется. Это может в какой-то степени зависеть от окружающей среды и небольшой численности населения, которому нет необходимости беспокоиться о пропитании и жилище в этой большой стране. Главным фактором, однако, является учение Будды — учение о сострадании, доброте и терпении.

Знает ли каждый отдельно взятый тибетец буддизм плохо или хорошо, не имеет значения. Благодаря учению возникла определенная среда. Мы очень благодарны индийским наставникам за их работу. Я всегда считаю себя учеником этой страны, учеником индийских наставников. Сегодня индийские наставники становятся учениками. Я чувствую, что это своего рода вклад, своего рода дань за помощь и доброту индийцев. Я действительно испытываю необычные чувства. Спасибо вам большое.

СТРАДАНИЕ

Р.М.: *Ваше Святейшество, страдание — это единственное величайшее несчастье, которое преследует человечество. Не могли бы Вы сказать, что есть корень страдания?*

Е.С.: Может быть большое количество различных причин нашего страдания, однако самая главная — это привязанность и желание. Желание коренится в невежестве. Есть много различных разновидностей невежества, однако то, о котором мы говорим сейчас, — это невежество, которое искажает природу реальности. Неважно, насколько сильным кажется наше невежественное сознание, у него нет ценного основания.

Невежество, о котором мы говорим, состоит из двух частей: собственное понимание отношения к человеку и собственное понимание отношения к предмету. В контексте страдания и удовольствий все объекты восприятия делятся на две группы: агент или тот, кто вызывает наслаждение или служит причиной страданий, и тот, кто принимает в этом участие, то есть получает удовольствие или страдает.

Все явления делятся на две группы: существа и внешние явления. Первые отражают собственное понимание отношения к человеку как невежество, которое стремится постичь реальное существование существа, а вторые — собственное понимание отношения к предметам как невежество, которое стремится постичь действительное существование внешних явлений. Мы определяем, существует что-то или нет с помощью сознания, то есть осознавая. Оба явления, временное и постоянное, подпадают под эти категории существующих или несуществующих объектов. То, что некоторые явления существуют периодически, подтверждает, что они зависят от причин и условий, и, следовательно, они называются результатом. С другой стороны, явления не зависят от причин, и условия существуют постоянно или вечно, и они называются нерезультатами.

Давайте проверим себя. Когда мы вспоминаем счастливые моменты нашей жизни или очень неспокойные времена, мы проходим через такие колеблющиеся состояния сознания, как: «Это было такое счастливое время» или «Это было такое тяжелое время» и т.д. В то же время мы должны размышлять: «Кто этот «я», эта личность, которой я так сопереживаю?» Подумайте, отождествляете ли вы это «я» со своим телом или со своим сознанием — какие мысли у вас возникают? Это ваше мышление или ваше сознание? «Я» и «сознание — это одно и то же? Если это так, можно ли сказать — «мое сознание»? Оказывается, все не так просто!

Р.М.: *Если страдания — это неотъемлемая часть нашего существования, как можно превозмочь их? Также Вы говорите, что, прежде чем мы начнем процесс остановки страдания, мы должны быть уверены, что страдания могут иметь конец, нам необходимо иметь этому доказательство. Как можно найти такое доказательство?*

Е.С.: Состояние, в котором человек полностью свободен от страданий, называется *«нирвана»*. Вечное счастье объясняется как свобода от страдания, а способ, с помощью которого достигается это состояние, — правда пути к прекращению страдания.

На каком основании должен человек освободить себя от страдания? Нам нужно освободить себя от страдания через сознание. Правда пути к прекращению страдания — очень тонкое состояние сознания, создаваемое особой мудростью. *Следовательно, желание избавиться от страданий — это функция сознания, или рассудка; методом избавления от*

*страдания также является деятельность созна-
ния, или рассудка.* Нам нужно освободить свое сознание от страданий, а его следы должны быть устра-
нены из области нашей реальности. Истина пути к
прекращению страдания — сознание, стирающее эти
внутренние заблуждения, а также осознающее эту реальность, эту природу. Следовательно, важно понимать, что имеется в виду под природой пустоты.

Так как причину страдания можно устранить, можно
устранить и само страдание. Мы можем устранить страдание, так как его причиной является действие, карма,
движущая сила мотивации, которая исходит от сознания, которое находится в заблуждении. Хотя возможность устранить карму действительно существует, нужно
также понимать карму. И если это причина, необходи-
мая для получения результата, ее необходимо возоб-
новить; по существу, основной причиной является заблуждение. Если мы говорим о возможности устранения заблуждения, все заблуждения коренятся в цеп-
ляющемся за себя отношении. Все возвращается к тому,
как прояснить сознание, которое воспринимает явления по своей природе как существующие.

Хотя все школы буддизма говорят о методах устранения ошибочного сознания, основной метод разъясняется в системе мадхьямика. Используя логические
умозаключения для отрицания неотъемлемого существования, можно понять природу пустоты. С помощью
такого анализа можно также установить, что сознание
может быть свободно от заблуждения.

Р.М.: *Существует ли какой-то особый метод уменьшения страданий?*

Е.С.: У всех нас есть внутреннее стремление к счастью и желание избежать страдания. Кроме этих естественных желаний, у нас также есть право достичь счастья и освободиться от страдания. Буддисты называют это естественным правом. Существуют разные категории счастья и страдания, которые можно разделить на физическое удовольствие и страдание и душевное счастье и страдание. Если взять тело и сознание, сознание является более важным фактором, и, следовательно, опыт сознания более важен. Будда говорил, что методы достижения счастья и освобождения от страдания действительно существуют. Здесь необходимо разъяснить третью благородную истину, истину прекращения страданий.

Прекращение страданий, освобождение, или нирвана, — это состояние действительности, свободной от всех ошибок и заблуждений. Для этого нам необходимо выяснить, существует ли такое состояние как природа, или пустота, и возможно ли освободить сознание от его ошибок и заблуждений. Чтобы понять это, также необходимо объяснение этих двух истин.

Школы буддизма делятся на две группы: те, которые принимают самоотверженность явлений, и те, которые не принимают. Две школы, которые принимают самоотверженность явлений, — это школа читтамантры, которую также называют йогакарой, школой единого сознания, и школа мадхьямика. Из этих двух школ более важна школа мадхьямика. Эта школа делится еще на две — мадхьямика сватантрика и мадхьямика прасангика — на основе принятия или непринятия неотъемлемого существования. Четыре основных школы буддизма — мадхьямика, читтамантра, саутрантика и ваибашика — возникли на основе учения самого Будды. Так как все эти школы сформулировали свои собственнные трактовки и обосновали их, цитируя слова самого Будды, у всех — один и тот же источник. Сам Будда сказал:

«О бхикшу и мудрецы!
Не принимайте мои слова только потому, что уважаете меня.
Но исследуйте, как ювелир исследует золото
И тогда принимайте».

Здесь буддизм разъясняет четыре веры.

Верьте не учителю, но его учению.
Верьте не просто словам, но их значению.
Верьте не буквальному, но определенному значению.
Верьте не грубому сознанию, но благородной мудрости,
которая осознает его.

Так Будда сам дал нам право анализировать свои собственные слова. С помощью логических умозаключений, а не только цитируя писания, человек различает преимущества этих школ. Среди буддистских школ интерпретация школы мадхьямика прасангика менее всего противоречит логическим умозаключениям.

Р.М.: С точки зрения западного понимания страдание происходит на биологическом и эмоциональном уровне, и в нем повинны ранимость, беспокойство, отрицательные эмоции и разрушающие привычки. Однако западная модель не дает большой надежды, так как всех этих злоключений нельзя избежать, и в лучшем случае можно надеяться на некоторую рефлективную отстраненность от них. Что Вы можете сказать по этому поводу?

Е.С.: Как верно замечено, чувства можно объяснить с биологической точки зрения, но до какой степени? С буддистской точки зрения все школы мысли, принимающие теорию возобновления жизни, дают одно объяснение — то, что мы называем кармическим отпечатком, или предрасположенностью. Даже за период одной жизни с вами происходят такие события, которые ведут к определенному виду предрасположенности и оставляют в сознании определенные впечатления, или отпечатки.

Согласно обычному объяснению любая мысль возникает в результате определенных изменений в мозге или нервной системе вследствие определенной химической реакции. В некоторых случаях происходит обратное, то есть сначала возникает мысль и в результате этого в теле происходят определенные химические реакции. Как вы считаете, это возможно или нет? Если да, то каким образом?

Во-первых, считается, что сознание, рассудок или мысль — это продукт активности мозга или некоего физического процесса. Это основа. Каждый опыт сознания должен развиваться на основе чего-то происходящего в теле. Это самое важное. Тогда каким образом изменения мыслей могут вызвать изменения в физическом теле?

Грубо говоря, иногда, когда физическое состояние человека выходит за пределы нормы, легко возникает чувство неудовлетворенности и гнев. Но если вы здоровы физически, вы чувствуете себя более счастливым. Иногда могут происходить неявные, небольшие изменения. Например, когда ваше сознание спокойно, какое-либо воспоминание или даже просто мысль могут вызвать физические изменения. На грубом уровне из-за физических перемен возникает определенное внутреннее отношение. В других случаях нечто, происходящее чисто на ментальном уровне, вызывает физические изменения. В таком случае каким образом появляется внутренний элемент?

Р.М.: *Давайте поговорим о ненависти и гневе. Согласно европейскому подходу, можно ненавидеть и побороть ненависть, но не саму возможность ненавидеть. Если человек не умеет ненавидеть, с ним что-то не так; если человек может только ненавидеть и не умеет побороть ненависть, это также ненормально. Как в буддизме рассматривается ненависть и агрессия?*

Е.С.: Необходимо находить эффективный способ борьбы с отрицательными эмоциями, так как, думаю, люди, испытывающие отрицательные эмоции, представляют собой большинство человеческого населения. Это основа мирской этики — без какой бы то ни было веры или религии. Лично я иногда пользуюсь этими методами, например анализирую бесполезность таких отрицательных эмоций, как ненависть. Когда вы испытываете очень сильное чувство ненависти, трудно сказать, причиняет ли это вред тому человеку, которого вы ненавидите. Возможно, другой человек не будет затронут, однако ваша ненависть скажется на вас, и в конце концов вы сами лишитесь своего счастья, аппетита или сна.

Следовательно, ненависть совершенно бесполезна. Проанализируйте ситуацию. Если вы поймете, что вам необходима контрмера, встает вопрос о том, справедлива она или нет. Если человек несправедливо поступил с вами, у вас есть право нанести ответный удар. Посмотрите на все это с другой стороны. Вы также можете ответить без ненависти. Обычно я вижу, что это приходит через размышления. Привязанность — более сложная вещь. Если вы позволите отрицательным эмоциям расти, они станут бесконечными. Они ведут к неприятностям, неудовлетворенности. Лучше ограничить такие отрицательные эмоции, как желание, привязанность, гордыня и подобные им.

Р.М.: *Нужно ли полностью устранять их или Вы можете предложить какие-либо рамки?*

Е.С.: Да, конечно, рамки. На человеческом уровне возможности устранения не существует. Что касается человека, практикующего буддизм, если он принимает понятие *нирваны* или *мокши*, он принимает возможность устранения всех этих отрицательных эмоций.

Возьмем желание. Существуют различные желания. Думаю, что на ментальном уровне полезно делать разграничения. Например, даже если взять гнев. Бывает положительный и отрицательный гнев. Я думаю, что гнев может также происходить вследствие беспокойства или привязанности. Такой гнев, вне сомнения, положителен и ведет к положительным действиям.

Р.М.: *А как насчет гнева, который возникает, когда человек защищает свои права? По Вашему мнению, это положительный гнев?*

Е.С.: Я думаю, когда человек защищает свои собственные права, пренебрегая правами других, это крайность. У других также есть права, и у меня есть право защищать свои права, самостоятельно достичь чего-либо. Такие чувства, несомненно, справедливы. Желание может быть положительным или отрицательным — даже чувство эго или обостренное чувство собственной личности. Для того чтобы развить силу воли и решительность, для того чтобы спасти других людей и выполнять хорошую работу, человеку необходимо обладать уверенностью в себе. Для этого необходимо иметь развитое чувство собственной личности: «Я могу это сделать», «Я должен завершить эту работу». Сильное ощущение своего «я» необходимо для того, чтобы сказать эти вещи. Человек может думать о себе как о сильном человеке, и даже не сомневаться в том, что имеет право причинять вред другим и пренебрегать их правами. Такое эго, или чувство собственной личности, отрицательно. Это две крайности.

Р.М.: *Но когда гнев направлен на террористическую группу, которая несет смерть и страдания сотням людей? Как быть, казалось бы, с «оправданным» гневом?*

Е.С.: В определенных обстоятельствах определенные меры противодействия необходимы. Если кто-то безрассудно или беззаконно пытается обмануть вас, конечно, вы имеете право на ответный удар, — но делайте это без гнева и ненависти. Это возможно, хотя и не так просто. В действительности противодействие, произведенное с помощью аналитической медитации, а не ненависти, более эффективно. Это способ формирования нашего сознания. По мере того как идет время, мы начинаем понимать, насколько губительны, бесполезны и разрушительны негативные эмоции. Если вы мыслите положительно, ваше отношение к негативным эмоциям может измениться. Вы становитесь осторожным по отношению к негативным эмоциям. Мысленно заданная дистанцированность принесет плоды. В конце концов негативные эмоции будут уменьшаться и не будут воспламеняться так же часто, как раньше, а положительные эмоции вместе с тем будут увеличиваться.

Таким образом можно изменить или трансформировать наше сознание. Усиленная работа над сознанием с помощью аналитической и одноточечной медитаций повышает его остроту и бдительность. В конце концов вы достигнете самого важного результата — по мере развития более сострадательного отношения автоматически уменьшится страх и увеличится уверенность в себе, решительность и сила воли. Сила воли, возникающая из гордости, слепа, однако уверенность в себе вместе с искренней мотивацией безопасна.

Р.М.: *Ценит ли буддизм страсть и экстаз как положительное состояние человека?*

Е.С.: Я не знаю. Думаю, что по достижении нирваны, или мокши, можно испытать экстаз, однако, исходя из своего опыта, могу сказать, что лучше оставаться в более уравновешенном состоянии. Слишком большое возбуждение может привести к большому несчастью. Слишком частые взлеты и падения — это также не очень хорошо. Возможно, такой образ жизни или мышления менее яркий, но в итоге это будет лучше даже с физической точки зрения. Таков мой опыт и мое мнение.

Р.М.: *Если Будда говорит, что страдание можно устранить, во что затем оно трансформируется и чем прекращает быть?*

Е.С.: В природу пустоты. Так, природа пустоты, в которую перешло, или очистилось, все страдание, — это также качество *самсары*, цикличного существования. Пустота как качество *самсары* и нирваны идентична. Когда мы понимаем природу *самсары*, мы достигли нирваны.

Другое объяснение сознания, которое является неотъемлемым качеством чувствующих существ в *самсаре,* — влияние отрицательного состояния сознания, известного как *самсара*. С другой стороны, если человек контролирует свое сознание и держит его в пределах своей внутренней природы, — это нирвана. Все это очень сложно.

Если мы понимаем, что наше сознание сильно потрясено негативным состоянием или чем-то подобным, ему в первую очередь необходимо превратить негативное состояние в нейтральное, а затем в добродетельное состояние. До тех пор, пока мы испытываем гнев, переключиться на сострадание или какое-либо другое позитивное чувство практически невозможно. Сначала попытайтесь трансформировать негативное сознание в нейтральное.

Самсара — циклическое существование; человек вращается в цикле существования. Можно обрести понимание исходя из того, что нирвана — так как это прекращение — рассматривается как нечто постоянное, а *самсара* — цикличное существование — это нечто непостоянное.

Мудрец Нагарьюна сказал, что полное понимание *самсары* — это нирвана. Нирвана — это состояние полной свободы от страдания. Это прекращение страдания.

СОЗНАНИЕ

Р.М.: *Сознание по-прежнему остается сложным явлением современного разума вне зависимости от того, как его рассматривать — с точки зрения науки или духовности. Ваше Святейшество, не могли бы Вы объяснить, как буддизм определяет сознание?*

Е.С.: Сознание в целом делится на две части: чувственное и ментальное. Появление чувственного сознания, такого как зрительное, зависит от определенных условий, например объективного или внутреннего условия, которое является определяющим. На основе этих двух условий для органа чувств также необходим еще один фактор, а именно — момент, предшествующий самому сознанию.

Давайте разъясним это на примере, когда зрительное сознание видит цветок. Функция объективного условия, то есть цветка, состоит в том, что он может воспроизводить в зрительном сознании образный аспект цветка, то есть его вид. Ваибхашика, одна из школ буддизма, не приемлет теорию аспекта. Согласно этой школе зрительное сознание находится в непосредственном контакте с самим предметом. Это очень сложно объяснить, но говоря простым языком, вещи воспринимаются без аспекта, посредством прямого контакта. Согласно взглядам других школ предметы имеют аспекты, через которые сознание воспринимает объект.

Зрительное сознание воспринимает форму, а не звук, то есть отпечаток того органа чувств, от которого оно зависит. Какова причина, которая производит зрительное сознание по роду ясности и знания? Это продукт предшествующего момента сознания, который дает начало зрительному сознанию.

Хотя мы говорим о состояниях, на которых растворяются поверхностные уровни сознания, мы говорим о сознательных состояниях, при которых тонкое сознание всегда сохраняет свою целостность. Если одно из условий, например предыдущий момент сознания, не выполнено, даже когда орган чувств и объект встречаются, они не смогут произвести зрительного сознания, которое видит объект.

Ментальное сознание совершенно иное, и способы, которыми чувственное и ментальное сознание воспринимают объект, также различаются. Так как чувственное сознание не концептуально, оно воспринимает все качества и свойства предмета в совокупности. Если говорить о ментальном сознании, то оно в основном концептуально. Оно воспринимает предмет через образ. Оно постигает предмет, исключая то, чем он не является. Нужно действительно глубоко подумать о том, создаются ли различные сознания химическими частицами или механизмом работы мозга.

Р.М.: Будучи духовным лидером, вы приняли беспрецедентную инициативу привлечения научного сообщества к исследованию, анализу и оценке духовного феномена. И все же сознание и мозг изучаются настолько, насколько ученые считают нужным их изучать. Какова их точка зрения на сознание и чем она отличается от Вашей?

Е.С.: За последние несколько лет я встречался с учеными, работающими в области ядерной физики, а также неврологии и психологии. Очень интересно. Мы узнаем некоторые вещи из научных исследований последних открытий, и в равной степени ученые выражают большой интерес к тому, как буддисты объясняют сознание.

Я поднимал этот вопрос в беседах со многими людьми, однако мне так и не удалось найти удовлетворительный ответ. Например, если мы будем придерживаться такой позиции, что сознание — это не что иное, как продукт взаимодействия частиц мозга, нам придется сказать, что любое сознание возникает из частиц мозга. В таком случае возьмем положительный опыт на примере розы. Один человек представит себе искусственную розу — это ошибочное сознание. Позже он может начать сомневаться, думая, что, возможно, эта роза не искусственная. Таким образом, ошибочное сознание теперь превращается в колеблющееся сомнение. Затем человек станет предполагать, что это настоящий цветок, но это все еще по-прежнему будет предположением. И, наконец, в результате стечения определенных обстоятельств, когда человек дотрагивается до цветка или вдыхает его запах, он понимает, что это настоящая роза. В течение всего этого времени сознание человека направлено на единственный предмет, однако оно проходит через различные стадии сознания: от ошибочного убеждения через сомнение, предположение, обоснованное узнавание к обоснованному восприятию. Но как объяснить, что химические частицы претерпевают изменения во время этих стадий?

Другой пример. Мы видим человека и думаем, что это наш друг. Однако это не наш друг. Мы ошибочно принимаем его за такового, и наше сознание делает ошибку. Когда мы увидели этого человека, наше сознание было ошибочно. Однако тогда, когда нам сказали, что это не наш друг, это вызвало перемену от этого ошибочного восприятия к обоснованному.

А как насчет опыта великих йогов? Когда человек

входит в состояние очень глубокой медитации, останавливается дыхание и сердцебиение. Один из моих друзей, занимающийся йогой, может находиться в таком состоянии, когда и сердцебиение, и дыхание в течение нескольких минут отсутствуют. Я думаю о том, что если кто-то находится в таком состоянии в течение нескольких часов, какова в это время функция мозга?

На основе всего этого я пытаюсь утверждать, что существует явление, именуемое сознанием и обладающее собственной сущностью независимо от работы мозга. Хотя поверхностный уровень сознания очень тесно связан с физическим телом, он также естественным образом связан с мозгом. *Однако сознание по своей собственной природе нечто отдельное.* Тонкое сознание становится более независимым от физических частиц. Именно так физические функции йога останавливаются, когда он достигает глубочайшего состояния сознания; однако сознание остается. В тот момент, когда физические функции остановлены, грубый уровень сознания не существует, а тонкий уровень сознания становится заметным.

Р.М.: *Таким образом, сознание состоит из нескольких слоев? Например, какое состояние переживает человек в момент смерти?*

Е.С.: Существуют разные состояния сознания: состояние пробуждения, состояние дремоты, состояние очень глубокого сна и бессознательное состояние, например обморок, самый тончайший уровень сознания.

Согласно величайшей тантра-йоге фактическому процессу смерти предшествуют восемь процессов распада: распад элементов земли, воды, огня, ветра и пространства. Затем мы проходим через процессы, известные как видения, красное увеличение, черное достижение и ясный свет смерти. Некоторые люди испытывают все это до определенной стадии, а затем возвращаются обратно. Мне встречались люди, которые прошли через некоторые стадии и были восхищены этими необычными событиями.

В соответствии с Высшей буддистской тантрой они прошли определенный глубокий уровень сознания и вернулись обратно. Когда после опыта ясного света смерти человек возвращается в область, где существует промежуточное состояние, или *бардо*, он проходит эту промежуточную стадию. Когда, к примеру, существо рождается в виде человека, оно проходит через промежуточное состояние, прежде чем сознание попадает в матку. Этот процесс такой же и для детей из пробирки. В любом случае, жизненный процесс начинается и заканчивается опытом ясного света.

Если мы не будем принимать целостность сознания, тогда возникает большой вопрос о том, как появился мир? Если мы принимаем теорию Большого взрыва, тогда какова была его причина? Очевидно, что вначале возникает вся система Вселенной, затем она существует и исчезает. Если мы будем придерживаться этой позиции, говоря, что вещи могут существовать без какой бы то ни было причины, мы будем сталкиваться с логическими противоречиями. Однако, если, с другой стороны, мы принимаем причину, нам приходится принять и теорию Создателя. В этом случае также возникнет множество логических противоречий.

Согласно буддистской точке зрения, так как чувствующие существа принимают участие в жизни окружающей среды, то есть естественной среды обитания, возникает Вселенная. Это означает, что если мы принимаем целостность сознания, не имеющую начала, то есть способ объяснить жизненный цикл. Хотя такая позиция создает меньше вопросов, некоторые из них по-прежнему остаются. Например, почему у сознания нет начала? Если мы принимаем целостность сознания и целостность сознания чувствующих существ, вопросов становится меньше. Полному ответу мы предпочитаем меньшее количество противоречий. Мы принимаем за основу, что у тонкого сознания нет начала и конца. В просветлении тонкое сознание также существует; конца нет.

Р.М.: *Как Вы различаете то, что известно нам как «познавательный рассудок» и «сознание»?*

Е.С.: Есть два вида ментального сознания: концептуальное и неконцептуальное. Неконцептуальное ментальное сознание также известно как прямое восприятие. Все школы буддизма принимают три вида прямого восприятия: чувственное, ментальное и йогическое, которое достигается посредством медитации.

Это шесть основных видов сознания, начиная от визуального сознания и заканчивая внутренним. У всех видов есть сопутствующие ментальные факторы — пять вечно действующих ментальных факторов и те, которые иногда присутствуют, а иногда — нет. Сутра объясняет, что визуальное сознание видит форму, но не осознает, что это есть форма. По различным функциям типы сознания делятся на две группы: действительное познание и недействительное. Для того чтобы достичь желаемого результата, нам нужно следовать за действительным познанием. Результаты действительного познания могут быть непрерванными или прерванными. Есть три вида недействительного познания, невосприятие объекта, ошибочное сознание и сомнение. Невосприятие включает сознание, которое видит внешний вид предмета, но не может его распознать. Оно также включает сознание, которое является простым предположением. Ошибочное сознание искажает тот предмет, которым оно владеет.

Существует три типа сомнения, или колеблющегося сознания, один из которых тяготеет к правде, другой — к ложному восприятию, а третий равномерно распределяется между этими двумя полюсами.

Существует три уровня недействительного познания. Для того чтобы противостоять им, существуют различные стадии трансформации сознания. На первой стадии человеку необходимо препятствовать одностороннему, или ошибочному, убеждению. Для этого есть такие методы, как силлогизмы, с помощью которых человек высказывает свою собственную позицию и разрушает силу одностороннего, ошибочного убеждения. После того как сила одностороннего убеждения исчезает, начинается стадия сомнения и еще большего сомнения. Они преодолеваются путем силлогизма и логических умозаключений. С помощью выводов обретается понимание предмета, и когда мы развиваем знание об этом предмете, мы достигаем стадии, на которой сознание становится неконцептуальным.

Существует три типа мудрости, которые возникают из простого слушания, из размышления и из медитации. Это только основные объяснения типов сознания.

Для того чтобы подробно понять представление сознания, человеку прежде всего необходимо понимать представление различных объектов сознания, или агентов, посредством которых человек получает эти разные представления и способ, с помощью которого сознание взаимодействует с объектом. Есть различные способы, с помощью которых сознание связано со своим объектом. Для неконцептуального сознания существует так называемый кажущийся объект, однако не существует объекта концептуализации, как в концептуальной мысли. Для концептуальной мысли существует так называемый объект концептуализации. Есть также различные виды объектов, именуемые объектами понимания. Существуют различные уровни объектов.

Р.М.: Ваше Святейшество, говоря о тонком сознании, проводите ли Вы разграничение между сознанием ради самого сознания, сознанием чего-то и сознанием ради чего-то?

Е.С.: Очень сложно представить себе сознание без какого бы то ни было объекта, так как сам термин сознание подразумевает осознание чего-то — то есть наличие объекта. Я думаю, что этот термин применяется к грубому уровню сознания с точки зрения действия. Тонкое сознание становится очевидным у обычных людей, только когда они находятся в бессознательном состоянии, например в обмороке.

Когда мы рассматриваем восемь процессов разложения во время смерти, седьмой — это черное достижение, которое далее делится еще на две части. В первой по-прежнему сохраняется тонкое, или неуловимое, воспоминание, а во второй части оно теряется. Мы получаем опыт ясного пути силой наших кармических поступков. Это похоже на природный процесс разложения, в котором все то, что мы приобрели вследствие наших кармических поступков, исчезает. Мы проходим этот процесс естественным путем.

Состояния ясного света можно испытать с помощью йоги, дыхания и т.д., в которых медитирующий силой своего осознания осуществляет этот опыт посредством медитации. Хотя на данном этапе действует тонкий уровень сознания, медитирующий это осознает и не теряет контроль над сознанием. Медитирующий должен направлять этот тип опыта на реальность, на природу пустоты. Я ответил на ваш вопрос?

Р.М.: *Да, благодарю Вас.*

Р.М.: *Имеют ли значение сны? Как интерпретировать сны, особенно если они действительно нелепые?*

Е.С.: Сон может повторяться снова и снова, и всегда это будет иметь значение. Также важно время, когда приснился этот сон. Сны, приснившиеся на рассвете, могут быть вещими. Поэтому изучайте сны, которые вам приснились на рассвете. Если человек очень серьезно относится к сновидениям и хочет пойти дальше — исследовать сны с помощью специальной йоги ветров. С помощью этой практики сны становятся более ясными и более определенными. В целом же сны — это то, что люди воспринимают как нечто иллюзорное, без какой-либо правды.

Согласно мадхьямике прасангике, высшей школе буддизма, весь наш опыт сознания, даже в состоянии бодрствования, ошибочен в зависимости от внешнего вида объектов. Мы воспринимаем их неправильно. Следовательно, то, что происходит в снах, может быть еще более ошибочным.

Р.М.: *При каких условиях сон-сознание выходит за пределы реальности?*

Е.С.: Когда мы говорим о сне-сознании и сне-теле, мы говорим об очень особенном опыте, в котором тело находится в автономном состоянии, то есть оно независимо от грубого физического тела. Мы говорим о совершенно ином плане. Сон-тело может видеть действительную реальность.

Особое сон-тело может отделяться от своего физического тела. Много лет назад я встретил человека, с которым это произошло, но не вследствие специальной практики, а благодаря карме и опыту, полученному в прошлой жизни. Этот человек испытывал большой дискомфорт и спросил меня, что ему делать. Во время глубокого сна ему показалось, что он вышел из своего физического тела и увидел своих друзей, понимаете, он увидел то, что действительно происходило, таким образом, это и есть особое сон-тело.

Р.М.: *Медитация — это единственный способ понять наше подсознание, проникнуть в силу снов?*

Е.С.: Понимание своей природы должно развиваться с помощью глубокой медитации; другого способа не существует. Чем тоньше уровень сознания, тем более глубокой становится медитация. Уровень сознания в состоянии сна более тонкий, чем в состоянии бодрствования. Медитация в состоянии бодрствования приравнивается к состоянию сна. Такие методы очень мощные. Это относится и к тому, что я ранее говорил об исследовании снов. Иногда нам снятся сны, говорящие о том, что на следующий день мы слышим как какие-то новости. В нашем сознании есть потенциал, чтобы предвидеть будущее.

ШУНЬЯТА

Р.М.: *Ваше Святейшество, возможно, самое таинственное и интересное понятие буддизма — это шуньята, или пустота. Что есть шуньята?*

Е.С.: Значение слова «шунья» — это не «ничто», но отсутствие абсолютной сущности.

Буддистское значение шуньяты — это отсутствие независимого существования, или объективной стороны. Вещь существует, но это существование осуществляется вследствие других факторов, а не само по себе.

Когда ученые объясняют квантовую теорию, они неохотно используют слово «действительность», как если бы она была независимой. Для многих людей действительность означает некую независимую реальность природы, однако, конечно, такой вещи не существует. Вещь не существует сама по себе; ее существование обусловлено другими факторами — причинами и условиями. Между научными открытиями и буддистским объяснением есть сходство — не-существование само по себе, или отсутствие независимого существования, а следовательно, существует непостоянство, или кратковременное изменение. На атомном и субатомном уровнях такие изменения происходят постоянно.

Р.М.: *Пустота похожа на начало?*

Е.С.: Не совсем. Пустота — это не начало, не пространство как основа для планет и звезд — не совсем так. Пустота в смысле *шуньяты* объясняется на основании чего-то, что существует, что имеет связь с реальностью. Любое явление обладает пустотой как собственной природой, и любое явление наполняется его собственной природой, пустотой, то есть отсутствием его действительного существования.

Пустота — это качество, конечное качество вещей. Например, явление, которое зависит от причин, обладает качеством кратковременного изменения. Далее, когда кратковременное изменение становится возможным — через пустоту, через его собственное качество. Если мы говорим о качестве, для него должно быть определенное основание. Без этого основания никакого качества не может быть.

Р.М.: В таком случае кажется логичным утверждать, что наше собственное чувственное восприятие по своей сути иллюзорно, и мы не должны воспринимать любую информацию, которую оно нам дает, всерьез? Если бы мы действительно начали действовать именно так, жизнь стала бы достаточно сложной.

Е.С.: Здесь мы имеем дело с чем-то немного иным. *Если мы считаем, что чувственное сознание ошибочно, мы не смотрим на него свысока.* Цель наших попыток понимания пустоты — это вызывать опыт большего счастья, скорее через чувственные данные, нежели через большее страдание. Вопрос заключается в том, ошибочно чувственное сознание или нет. Необходимо понимать, что одно сознание может одновременно быть как ошибочным, так и действительным. Разграничение должно исходить из разницы в объекте.

Мы говорим об очевидном объекте, объекте представления, и объекте упоминания. Мы говорим о действительном чувственном сознании, например зрительном сознании, которое видит цветок. Что касается объекта представления — этого цветка, — он не ошибочен, он действителен. В то же самое время зрительному сознанию цветок кажется действительно существующим, и с этой точки зрения оно ошибочно.

Р.М.: *Тогда не могли бы Вы разъяснить понятие «действительно существующее»?*

Е.С.: Об этих вещах действительно нужно думать очень глубоко. Это не то, что можно объяснить с помощью знания, чтобы другому человеку сразу стало понятно. Это не та ситуация, когда мы указываем на автомобиль и говорим: «Это автомобиль... О да! Это автомобиль. Да-да, теперь я понимаю, что это автомобиль». Знание и собственный опыт идут рядом, поэтому в этом смысле очень важно время. Нельзя прийти к пониманию за несколько дней или недель, могут потребоваться даже годы сосредоточенного размышления об этом, и только после этого понятие «действительно существующее» становится яснее и яснее.

Когда мы пытаемся интерпретировать значение выражения «действительно существующий» с точки зрения пустоты, это значение равно ни правильно и ни ложно. Так как существование этого явления не исчезает из-за какого-либо действительного познания, значит, оно действительно существует. Но так как оно не существует так, как кажется нашему ошибочному сознанию, то когда мы ищем сущность этого явления, мы не находим ее, поскольку, по сути, она не существует.

Как я уже объяснял, «действительно существующим» является «существование по сути», нечто независимое; сами эти слова крутятся вокруг одного и того же...

Р.М.: *Метод, используемый для исследования реальности, может раскрасить восприятие реальности. Вы выбираете то, что ищете — если выбрать логический метод, то мы находим А; если взять прямое восприятие, возможно, мы найдем В. Справедливо это или нет?*

Е.С.: Да, согласно вашей логике это возможно. Однако, когда нас волнует вопрос нахождения пустоты, мы стараемся приблизиться к реальности и фактам. Мы проводим различия между тем, что является простым отображением, гипотетическим взглядом и некоторыми пристрастными взглядами, и т.д. Вывод, который мы ищем, — это реализация факта: природа как она есть, нежели попытка поддержать гипотетический взгляд.

Философская мысль, например, в *читтамантре*, в которой разграничивается внешний объект и субъективное сознание, — это просто гипотетический взгляд. Он не соответствует действительной реальности.

Нагарьюна в *мадхьямике мулакарике* ясно утверждал, что «тот, кто присваивает, и то, что присваивается, должны различаться». Следовательно, *собственная личность*, или «я» — это просто обозначение. Без какого-либо исследования мы удовлетворяем себя, говоря: «я собираюсь», «я голоден», «я устал», «я старше...» Все это говорится людьми, которые не исследуют, потому что, когда человек начинает исследовать, он не в состоянии найти это. Это знак отсутствия абсолюта.

Таким образом, значение *шуньи* — не «ничто», но отсутствие абсолютной сущности. Да, это работает, но совместно со многими другими факторами. Без этих факторов его невозможно найти. Невозможно точно определить. Все... если уж на то пошло, даже самого Будду... невозможно определить и сказать, что есть «Будда», независимо от физического тела Будды и его сознания... поэтому конечное значение selflessness состоит в том, что абсолютной сущности не существует... есть просто обозначенное «я», исходящее из прошлой жизни и переходящее в следующую. Однако это обозначение основано на сочетании тела и сознания. Еще раз повторю: существуют более тонкие уровни тела и сознания. Так, в этой жизни человеческое существо обозначается на основе своего тела и сознания. Но когда тело разрушается, с физической точки зрения личность перестает существовать, однако тонкий уровень продолжает существование. Будда неоднократно повторял, что все является просто обозначением.

Однако когда мы говорим, что все явления — это обозначения, мы не имеем в виду, что все, что обозначено, может осуществиться. Даже если вы принудительно назовете тело и сознание животного человеком, оно не станет таковым. Таким образом, возникает противоречие. Следовательно, обозначения не должны противоречить принятым нормам и условностям.

Его Святейшество Далай-лама

Р.М.: *Возможно, будет полезно углубиться в значение зависимого и независимого существования.*

Е.С.: Прежде всего необходимо проводить различие между условным и врожденным существованием. Позвольте мне прежде всего рассказать об объяснении зависимого возникновения, что позволит нам ответить на этот вопрос.

Зависимое возникновение означает взаимозависимость. Чтобы понять это, необходимо понять теорию о том, что зависимость и независимость — это прямо противоположные явления, исключающие нечто среднее. Не существует ничего, что не было бы ни тем и ни другим. К примеру, цветок и не-цветок — это прямые противоположности. Любой предмет должен быть или цветком, или не-цветком, третьего не существует. С другой стороны, давайте рассмотрим цветок и стол. Хотя они взаимно исключают друг друга, есть нечто, что не является ни тем, ни другим, есть некая середина. Точно так же быть независимым и быть зависимым — это прямо противоположные понятия.

Эти явления, результаты причин, зависят в своем существовании от своих причин и условий. Сходным образом, если речь идет о целом, очевидно, что оно зависит от своих частей. Пока предмет сохраняет свое качество формы, он всегда будет иметь направленные части. У предметов нет качества формы, например, сознание действительно имеет части различных примеров, таких как раньше, позже и т.д. Существует ли предмет без частей? С физической точки зрения можно дойти до субатомного уровня, на котором практически не существует возможности дальнейшего деления частиц. И все же здесь будут направленные части; не существует отсутствия частей. Можно ли сказать, что что-то существует, не имея частей?

Если бы субатомные частицы не имели направленных частей, как можно было бы говорить, что смесь таких частиц может образовать целое? Если у целого отсутствуют направленные части, то, что обращено на восток, будет также обращено и на запад. В этом случае возможности образования совокупности из этих источников не существует, не так ли? Писания школы мадхьямики полностью отрицают теорию предметов и явлений, не имеющих частей. Существование каждого предмета зависит от его частей. Это два вида зависимости: один — зависимость от причин и условий, другой — от частей.

Другой вид зависимости заключается в том, что ничего невозможно найти, когда ищем сущность аналитическим способом. Если мы довольствуемся просто условной видимостью, все в порядке. Однако, если нас не удовлетворяет просто условная видимость и мы ищем сущность, ищем доказательство объекта, мы не находим ничего. Когда мы наконец понимаем, что доказательство невозможно найти посредством анализа, возникает вопрос, является ли это указанием на то, что вещь и вовсе не существует.

Если бы мы должны были сказать, что вещи вовсе не существуют, наш собственный опыт стал бы противоречить этому. Наш опыт показывает, что есть человек, который не нашел сущность и нашел то, что невозможно найти. Действенное восприятие, которое воспринимало человека, искавшего сущность и «ненахождение» предмета, будет противоречить утверждению, что вещи вовсе не существуют. Следовательно, здесь должно что-то быть; и вещи существуют. И все же, когда мы исследуем, мы не можем их найти. Отсюда вывод: вещи существуют, однако они существуют на основе инсинуации. Они находятся в зависимости от номинального обозначения. Неважно, как мы смотрим на вещи, они всегда демонстрируют признаки зависимости. Зависимость от причинных факторов, от частей или от сознания, которое присваивает обозначение — вот три вида зависимости.

Нужно ли анализировать, что является действительной природой? Какими нам кажутся вещи? Затем проверить, совпадает ли то, чем нам кажутся вещи, и то, чем они действительно являются? Совпадают ли они или нет? Мы обнаруживаем, что между тем, чем кажутся вещи и чем они действительно являются, есть большая разница.

Р.М.: Существует ли процесс анализа, который может мне действительно помочь воспринимать шуньяту?

Е.С.: Существует множество таких вещей, анализируя которые мы не можем сделать выводов, и нам просто приходится оставлять все как есть, принимать вещи по их номинальной стоимости. Если слишком углубиться в подробности, вещи становятся абсурдными. Возьмем в качестве примера *шуньяту*. Есть шуньята и есть ее функция; следовательно, должно быть основание, делающее эту функцию возможной. Если мы начнем исследовать, что и есть *шуньята*, отчасти мы сможем сказать, что отсутствие независимого существования есть *шуньята*. Затем, если мы будем смотреть на нее ежеминутно, на эту *шуньяту*, ту *шуньяту*, даже *шуньяту* как конечную реальность, когда мы следуем этому процессу и ищем сущность *шуньяты*, мы не сможем ее найти. Мы обнаруживаем, что *шуньята* во многом зависит от тех способов, которыми она определяется, а также от объекта, по которому она определяется.

Я принимал участие в одной очень интересной дискуссии с учеными по вопросу о нейробиологии и психологии. Мне кажется, что по сравнению с восточной психологией западная психология очень молода. Способы исследования в ней отличаются от наших. Исходя из собственного опыта, могу сказать, что некоторые ученые утверждают, что являются радикальными материалистами и даже не признают существования сознания. Однако дискуссии продолжаются, ученые выражают все большую и большую заинтересованность в буддистских объяснениях сознания, материи, атоме, явлениях и т.д. Мы извлекаем пользу из научных исследований и открытий, а буддистская интерпретация дает ученым иную перспективу исследования. Таков мой опыт.

Р.М.: *Однако, несмотря на искреннее желание принять и понять неотъемлемую «пустоту» вещей, я борюсь со своим рассудком и его представлением о «реальности».*

Е.С.: Когда наше сознание находится в негативном состоянии из-за ненависти или желания, причиной является понимание чего-либо как хорошего или как плохого. Затем в свою очередь мы находим, что к нашему пониманию, что есть хорошо и что есть плохо, примешиваются дополнительные, особые хорошие качества или отражение объекта, который, в свою очередь, обусловлен восприятием чего-то как действительно хорошего или плохого. Буддисты считают, что все эти негативные состояния коренятся в невежестве, которое цепляется за действительное существование предмета.

Позвольте привести пример. Возьмем два основных вида сознания. Одно из них возникает при подтверждении проявления действительного существования. Второй тип сознания зависит от возникающих подтверждений такого типа проецированного проявления, как гнев или сильная привязанность. Когда мы чувствуем сильную привязанность или гнев, это понимается не только как проявление, но и как своего рода подтверждение, и мы принимаем, что это на сто процентов положительно, и чувствуем привязанность или на сто процентов отрицательно и испытываем гнев. Но фактически, если мы рассматриваем врага как стопроцентного врага, он должен быть врагом для всех. Однако мой враг может быть лучшим другом для другого человека. Поэтому, когда я говорю о моем враге как об отрицательном персонаже на все сто процентов, в этом есть определенная правда, с моей точки зрения, независимая, то есть не зависящая от субъекта или проецированного сознания. Но никакой враг не может быть на сто процентов отрицателен. Следовательно, это преувеличение — результат моих чувств или сильной неприязни. Любая негативная мысль должна иметь такое подтверждение. Положительная мысль необязательно основывается на этом. И для того, чтобы свести отрицательную мысль к минимуму, важна реализация *шуньяты.*

Р.М.: *Возникает ли конфликт на видимом уровне, когда мы отрицаем все, что нам известно, воспринимаем любовь как иллюзию и внутреннюю пустоту?*

Е.С.: Во-первых, очень важно видеть разницу между тем, как объект рассматривается неконцептуальным сознанием, таким как чувственное восприятие, и ментальным сознанием, которое по большей части является концептуальным. Необходимо видеть между ними разницу.

Процесс логических умозаключений, применяемый для установления пустоты, должен быть таков, чтобы никогда не причинить вред достоверности чувственного опыта. *Если речь идет о заблуждениях, они существуют только на ментальном уровне. Чувственное сознание никогда не есть заблуждение, оно ошибочно и находится под воздействием эмоций.*

Во-вторых, есть различные типы ментального восприятия объекта, которые оценивают объект как, по сути, существующий или нет. В-третьих, когда объект воспринимается без такого качества, — это просто объект. Есть три способа восприятия объекта. Когда концептуальное сознание воспринимает объект, оно делает это посредством исключения.

Следовательно, постижение пустоты противостоит тому типу ментального представления, которое оценивает объект как, по сути, существующий, однако он не причиняет вред типу сознания, которое воспринимает предмет без какой бы то ни было оценки, то есть которое может быть чувственным восприятием объекта.

Есть путаница относительно термина «действительный», она возникает даже в тибетском языке. Сложно понять это, не будучи близко знакомым с логикой или медитацией. Похожая ситуация, например, сложилась с санскритским словом *«свабхава»* — природа, которое может иметь различные значения в разных ситуациях и контекстах на условном и на более глубоком уровне.

Когда мы говорим «действительное существование», значение слова «действительное» очень неоднозначно, если только мы не обладаем достаточным количеством опыта. Даже мне сложно это объяснить.

Р.М.: *Сознание должно исследовать шуньяту, а также иметь непосредственный опыт ее постижения. Не возникает ли в этом случае противоречие между субъективным и объективным сознанием? И какое сознание постигает пустоту, если само не существует?*

Е.С.: Когда мы говорим о пустоте действительного существования, мы не проводим различие между объектом и субъектом, так как они оба не обладают действительным существованием. Если мы ищем, мы не можем найти само объективное или субъективное сознание. Сознание можно рассматривать как объект некоего иного наблюдающего сознания. В этом относительном контексте сознание становится объектом. В тот момент, когда мы его ищем, мы не найдем его, точно так же как и объект. Конечная причина для отрицания действительного существования — это то, что, когда мы ищем его сущность, ее невозможно найти. Это конечная причина.

Обычно ученые скептически относятся к тому, чего они не могут наблюдать явно. Однако я считаю, что и в самой науке есть ограничения. Она ограничена исследуемой областью, которую можно измерить или посчитать. Жизнь, сознание, разум — все это еще не было объяснено в полном объеме. Все эти понятия, несомненно, имеют отношение к мозгу. В настоящее время ученые исследуют отношения между сознанием и мозгом и приобретают больше знаний о природе сознания и мыслительных процессов. Существует взаимозависимость — то, что мы называем *шуньей*, или пустотой.

Р.М.: *Но что же делать с нашими чувствами?*

Е.С.: Здесь мы говорим на относительном уровне. Мы просто принимаем чувство и осознание: это цветок, это человек, это индус, это тибетец — без какого-либо исследования. Здесь нет вопросов, это условный уровень. Далее возникают вопросы: кто я? Что такое сущность? Что такое собственная личность? Это дверь или сцена... С этой точки зрения ответ невозможно найти.

Р.М.: *А сознание в пределах пустоты это...*

Е.С.: Да, и снова сознание, но что есть сознание? Мы чувствуем сознание. У нас есть чувство, что мы осознаем то, что называем сознанием: сегодня мое сознание притуплено, сегодня мое сознание ясное, и снова это можно сказать без исследования, не проникая в суть. А теперь возьмем один определенный субъект, например сознание. Что есть сознание? Мы не можем найти его. Палец? Очень просто. Мой палец?

Вот он. Никто не спорит. Я на самом деле вижу цвет своего пальца, его форму и т.д. Так что есть «палец»? Это цвет или субстанция: кожа, кровь, кость, что есть палец? Если мы будем анализировать частицы, части пальца, различные субстанции, мы не найдем сам «палец». Если мы будем анализировать дальше, мы получим два уровня. Один из них относительный, или условный, а другой — более глубокий, конечный. Есть человек, который не может найти палец. Такой человек может существовать, потому что условно он может существовать.

Мы не проводим такое различие, так как на условном уровне они оба существуют, а на конечном уровне не существует ни один из них. Согласно читтамантре одной из школ буддизма, то, что вы ищете, не существует, однако человек, который понимает, что ничего нет, действительно существует.

Р.М.: *Ваше Святейшество, возможно ли понять зависимое возникновение без очищения от заблуждений?*

Е.С.: Можно осознавать зависимое возникновение, по-прежнему имея заблуждения обычного сознания. Исследуйте *шуньяту* на основе этой относительной теории, и вы сможете понять *шуньяту*. Размышляя и медитируя о ней, вы сможете ее почувствовать.

Однако необходимо понимать разницу между сознанием, которое осознает природу зависимого возникновения или понимания, и прямым опытом.

Обычные существа могут обладать пониманием пустоты, обретаемым посредством выводов. Для того чтобы обладать прямым опытом, нужно уменьшить силу заблуждений, которые есть у нас, обычных существ. Еще бóльшим очищением будет прямое осознание пустоты. Вы обнаружите, что осознание пустоты — это не так сложно.

Р.М.: *Существуют ли практики шуньяты, которые могут быть полезны?*

Е.С.: Да. Могу сказать, что есть довольно много людей, которые осознали пустоту. Из своего опыта могу сказать, что я не достиг осознания пустоты. Пятнадцать-двадцать лет тому назад я начал очень интенсивно думать о шуньяте. Можно обрести глубокое понимание. Но, видите ли, в случае с далай-ламой основная проблема — это время.

Р.М.: *Почему это так?*

Е.С.: Я не могу проводить все свое время в размышлениях и медитациях. Мне приходится переключаться на многие другие виды деятельности. В этом вся проблема.

ЯВЛЕНИЯ

Р.М.: *Ваше Святейшество, у входа в Ваш монастырь в Дхарамасале есть надпись: «Все существование похоже на отражение, четкое и ясное, непоколебимое; его нельзя постичь и нельзя выразить. Без собственной природы, без места, четко установленное посредством причин и действий». Не могли бы Вы разъяснить эту надпись?*

Е.С.: Это означает, что с точки зрения обычного сознания, такого, как наше, все явления похожи на отражение. Хотя они кажутся одним, существуют они совершенно иным образом. Они кажутся действительно существующими, однако в действительности не существуют. Следовательно, в этом есть противоречие, точно так же, как отражение моего лица в зеркале — это не само лицо.

Во второй строке говорится, что «четкое и ясное, непоколебимое». Есть две интерпретации — интерпретация сутры и тантры. Это нужно объяснять в соответствии с контекстом, в котором эта строка цитируется, и я дам объяснения, как я понимаю и помню это.

Эти три фактора — четкость, ясность, непоколебимость — относятся к трем типам освобождения: отрешенность от заблуждений, отрешенность от знаний и погружение в медитативное состояние. Это утверждение относится и к чистой природе явления, пустоте; в ней нет пятен, нет нечистоты.

Третья строка, говорящая, что существование нельзя постигнуть и нельзя выразить, означает, что такой опыт невозможно ни постигнуть через концептуальную мысль, ни полностью выразить через условные слова.

Последняя строка: «Без собственной природы, без места, четко установленное посредством причин и действий», думаю, имеет отношение к трем путям освобождения. Она объясняет пустоту самих явлений, ее причины и последствия.

Р.М.: *Что касается принципа шуньяны, правда начинается с принятия несуществующей природы всех явлений. Но ведь наш «материальный» мир должен иметь какое-то основание? Какова его форма, основание и обозначение, которые мы приписываем всему, что мы называем нашим миром и явлениями?*

Е.С.: Форма — это явление определенное. Это форма, но ее основание не является формой. Чтобы показать это на примере нас самих, скажем, что человек обладает всеми пятью составляющими, такими как форма, чувство и т.д. Эта личность — объект, обозначаемый на основании всех пяти составляющих. Однако внутри этих пяти множеств мы не можем найти что-либо, что можно назвать человеком или существом. Отдельно от целого и составляющих частей мы также не можем найти человека. Однако это не значит, что человек совсем не существует. Где же тогда человек?

Между основанием для обозначения и обозначаемым явлением есть определенная взаимосвязь. Однако это не есть взаимоотношение между причиной и следствием или между общим и частными примерами — это просто отношение взаимозависимости.

Это одна из основ подхода мадхьямики и наиболее важный и сложный вопрос. Когда мы говорим об основании для определения, то мы ставим перед собой очень сложную задачу — определить основание для определения. Полагаю, что, поскольку вещи в действительности не существуют, единственный выбор, который остается для их способа существования, — это их действительная условность.

Хотя мы проводим различие между объектом, явлением и субъектом, сознание — сознание субъекта — это также явление. С точки зрения одного определенного сознания существует объективное явление и субъективное сознание. Однако само сознание также является явлением, потому что существует другое субъективное сознание, которое воспринимает его, являясь объектом.

На все это похоже и значение существования. Вы присваиваете этот ярлык в зависимости от основания, которое само не является явлением.

Р.М.: *Ваше Святейшество, мадхьямика прасангика утверждает, что явления существуют только косвенно. Если это так, это опровергает внешнее существование объекта. Это невозможно по вине этернализма?*

Е.С.: Когда в мадхьямике прасангике говорится о явлениях, существующих в виде простых инсинуаций, эта «простота» не опровергает внешние явления, явления, которые не являются названиями, а также не опровергает утверждения о том, что явления не воспринимаются действительным познанием. Хотя есть явление, которое само по себе не есть имя, оно существует только в силу условности. Когда в мадхьямике прасангике делается вывод о том, что суть явлений невозможно найти, если искать ее аналитическим способом, это не указывает на его не-существование, но скорее на его не-внутреннее существование.

Это не означает — не находить ничего, но, как объясняется в первой строфе *муламадхьямикарики* — основной мудрости среднего пути Нагарьюны (выдающийся философ и алхимик Древней Индии) — неотъемлемое существование должно исследоваться на явлениях, обладающих качествами прихода и ухода, производства и прекращения, и т.д. на условном уровне. На основании такого явления нам приходится опровергать внутреннее существование. Можно наверняка сказать, что этот стол не обладает неотъемлемой природой, потому что он существует; так как он существует, его существование должно быть обусловлено другими факторами. Сам факт его существования доказывает его не-неотъемлемое существование.

С другой стороны, когда *йогачаринс*, также называемая читтаматринс, или школа единого сознания, использует аналитический метод для того, чтобы найти существование внешних объектов, и разбирает или анализирует части объекта, она не находит целое. Так как она не может постулировать простое значение, существующее единственно силой самого значения, то они говорят, что не существует внешнего объекта отдельно от сознания. Они говорят, что внешние объекты не существуют отдельно от сознания.

Я сам не знаю. Это не очень ясно с самого начала. Когда последователи читтаматринс применяют аналитический метод для того, чтобы найти внешний предмет, разделяя его на части, и не могут найти его, встает вопрос о том, существуют ли такие вещи, как форма, и т.д. Их ответ заключается в том, что объект существует, но это не субстанция, которая отличается от сознания. Он состоит из той же субстанции, что и сознание. Следовательно, внешние предметы не существуют. Следовательно, внутреннее сознание действительно существует, и оно независимо.

Р.М.: *Согласно самхье, небуддистской школе философии, явления по природе постоянны, но временно могут быть непостоянны. Это другая точка зрения. Здесь необходимы разъяснения.*

Е.С.: Если нам необходимо отстраниться от чего-либо просто потому, что это непостоянно, нам придется отойти от пути, который мы ищем, так как он непостоянен. ***Вопрос в том, стоит ли испытывать такое желание или нет, стоит ли стремиться достичь его.*** Если да, возникает желание получить это. Я думаю, мы может провести это разграничение и отстраниться.

Желания делятся на добродетельные и недобродетельные. Добродетельное желание — когда мы находим посредством исследования и логических умозаключений понимание того, что исполнение желания стоит того. Такое желание, или привязанность, может быть правильным, например, желание достичь просветления или желание трудиться на благо всех чувствующих существ. Эти желания мы должны сознательно развивать в нашем сознании. Мы должны прилагать особые усилия, чтобы развивать чувство понимания того, что все чувствующие существа — наши близкие.

В случае с недобродетельным желанием вы желаете чего-то, однако, подумав более глубоко, обнаруживаете, что в действительности вам это не нужно. Например, когда вы идете в магазин, вы видите там множество чудесных вещей, и вам хочется купить их все. Вы пересчитываете свои деньги, и у вас появляется другая мысль: а нужно ли мне все это? И ваш ответ: «О! Да в этом нет необходимости!» Таков мой собственный опыт. Такое желание на самом деле не что иное, как привязанность, или, иными словами, жадность. Для того чтобы хорошо жить, чтобы существовать, все эти вещи действительно не нужны.

Для обывателя семейный образ жизни — это норма; но когда семейная жизнь объясняется в контексте поиска пути к освобождению, очень важно не подпасть под власть заблуждений. Это довольно сложно. А если хороший практик остается монахом или монашкой, в определенных обстоятельствах люди могут подумать, что это исключительный человек. Однако он обладает меньшим влиянием и приносит меньше пользы обществу. Поэтому нужно быть искренне верующим, но также оставаться хорошим членом общества, полезным человеком. Оставайтесь с семьей, зарабатывайте средства на жизнь, будьте хорошим человеком, достойным уважения, с миром в душе, и создавайте мирную атмосферу в своей семье, которая помогает создавать мирную атмосферу в обществе. Такой человек, обладающий *бодхичиттой*, альтруизмом, может быть более полезен для общества, будучи обывателем, ведущим семейный образ жизни.

Однако, если человек желает достичь пути главным образом для своего собственного интереса или благополучия, рекомендуется жить в безбрачии. Иногда рекомендуется семейный образ жизни. В сутре упоминаются многие бодхисаттвы, которые вели семейный образ жизни, однако едва ли можно найти упоминание об архатце, ведущем семейный образ жизни.

Р.М.: *Вы имеете в виду, что явление, как мы это понимаем, — это обозначение, даже хотя оно зависит от основания и само не является основанием, чисто ментальное построение?*

Е.С.: Хотя явления объясняются абстрактной мыслью, ничто не может существовать просто посредством наименования вещей. Это не означает, что все, что является продуктом сознания, может стать самим сознанием. Сознание не может манипулировать всем так, как оно этого желает. Если сознание, или абстрактная мысль, могло бы делать все, что оно хочет, никакой разницы между действительным и недействительным познанием или хорошим и плохим не было бы. Никогда не возникло бы никакой разницы. Так как явления существуют, а их действительное существование было логически опровергнуто, единственный оставшийся выбор — нравится нам это или нет, — явления существуют номинально, через обозначение. Однако это не означает, что все, что мы обозначим, станет явлением.

Р.М.: *Явление — это не основание? Есть ли различие между основанием и явлением?*

Е.С.: Это требует разъяснения трех факторов: основания для обозначения, абстрактной мысли, которая дает обозначение, и самого обозначаемого явления. Когда сознание ищет обозначаемое явление изнутри или исходя из основания, оно не находит примера, который может постулироваться в качестве явления. Основание для обозначения — это необозначаемое явление. Но мы и не даем ярлык той вещи, которая этим не является; в противном случае можно было бы назвать слона лошадью и т.д. Обозначение не дается явлению, которое им не является. Так как мы не можем дать ярлык вещи, которая не является самим явлением, и не можем найти пример в пределах обозначенного основания, который можно назвать самим явлением, нам остается дать обозначение исходя из основания. Если явления нет, тогда относительно условия возникают противоречия. На условном уровне что-то есть, и в конце концов мы получаем просто обозначение.

Р.М.: *Однако в понимании природы реальности, как мне кажется, и Вы это также повторяете, все едино. И все же, когда мы говорим о явлениях и восприятии, мы говорим об этом, как если бы это были две, три, четыре или пять различных вещей.*

Е.С.: Две истины — это объяснения одного объекта с двух различных точек зрения. Так как две истины разъясняются на основании одного объекта, они в действительности являются одной сущностью, но в то же время рассматриваются как взаимно исключающие друг друга.

Для примера возьмем очень сведущего человека, который является очень знающим, но также одновременно и очень хитрым. Мы хотим воспользоваться способностями этого человека, однако он не заслуживает доверия. С этой точки зрения нам нужно принимать другие меры, быть осторожными. Хотя мы имеем дело с тем же человеком, здесь есть противоречие, два аспекта: один отрицательный, а другой положительный. Я бы сказал, мы имеем дело с one object, как, например, с цветком. У цветка есть относительный уровень существования, на котором действуют все условности, такие как цвет, запах и т.д. Но есть и более глубокая, конечная реальность. Это то же самое, как если смотреть на один предмет с двух сторон. Так как предметы являются зависимым результатом, они не обладают неотъемлемым существованием, которое также называется действительным существованием.

Согласно некоторым текстам на обычном уровне чувствующие существа обладают различной сущностью. В конечном счете, когда чувствующие существа достигают просветления, все они становятся единым, объединяются в один океан мудрости. Вода, приходящая из разных рек, обладает разным цветом, вкусом, скоростью течения, но, сливаясь с бесконечным океаном, она теряет свою индивидуальность и становится одного вкуса, одного цвета и т.д. Это не означает, что, когда человек достигает просветления, его собственная индивидуальность прекращает свое существование; это совсем не так. Индивидуальная личность, или «я», никуда не исчезает.

Мы создали себе множество неприятностей, проводя различия между черным и белым или возражением на то или на это. Мы смотрим на мир так, как будто он кажется более сложным, предусматривает больше противоречий и парадоксов и подтверждает конец относительного опыта и конечного опыта. Поэтому мир нам не кажется таким идеальным.

Р.М.: Но тогда даже среди явлений есть отрицательные и положительные? Какова разница между ними?

Е.С.: Когда буддисты говорят о пустоте, подразумевается, что пустота — это отрицательное явление, а строфы — положительное. Это не означает, что пустота не существует, скорее имеется в виду абсолютное отсутствие необъемлемого существования. То же самое происходит, когда мы говорим о космосе. Буддистское понятие космоса подразумевает абсолютное отсутствие преград, формы. Это не означает, что космоса не существует, но что мы не можем приблизиться к нему.

Это очень сложно понять. Полностью это может понять только тот, кто испытал шуньяту, кто отрицал ошибочную природу явлений, кто отрицал неотъемлемое существование. То, как явления существуют через абсолютное назначение, можно понять через опыт пустоты. Для нас, обычных людей, внешний вид самих явлений и их действительное существование очень смешаны в сознании. На самом деле мы не можем отличить одно от другого: то, как в действительности выглядит объект и его действительное существование.

Мы можем также здесь размышлять о том, что имеют в виду последователи йоги, говоря, что все явления — это просто представление сознания и когда мадхьямика утверждает, что все явления — это просто порождение сознания. Стоит посмотреть на разницу между ними. Нужно принимать во внимание тот контекст, в котором делаются эти утверждения.

Р.М.: *Ваше Святейшество, является ли логика конечной ценностью?*

Е.С.: Необходимо, чтобы логику можно было вывести из непосредственного опыта. Однако существуют разные виды явлений. Наш уровень рассудка может осознавать некоторые виды явлений. Есть и другие виды явлений, которые мы не в состоянии воспринимать или понимать, если наше сознание находится не в возвышенном состоянии. И даже такие высшие состояния подчиняются закону логики.

В буддизме махаяны существуют два типа учений: определительные и толковательные. Некоторые из учений Будды можно понимать в прямом смысле, буквально. Другие невозможно так понимать. Как определить, что можно, а что нельзя понимать буквально? Это возможно сделать только посредством логических умозаключений, так как определительное и толковательное значения слов по-разному разъясняются в самих текстах.

Если бы нам нужно было определить, являются ли слова какого-либо из писаний Будды определительными или толковательными, нам пришлось бы обратиться к другому писанию, и это могло бы продолжаться до бесконечности. Если бы Будда был жив сегодня, мы могли бы попросить его рассказать нам его окончательные утверждения. Чтобы избежать нескончаемых споров, мы наконец решаем эти вопросы, рассуждая логически. Говорят, ученый или человек, который придерживается мнения, которое противоречит логике, не является истинным или настоящим ученым, или человеком. По очевидным причинам мы проводим различие между писанием и намерением того, кто сказал эти слова в действительности. Так как нам нужно перейти к пониманию действительного намерения Будды через логические умозаключения, утверждение, которое не может быть опровергнуто путем умозаключений, и есть окончательное мнение Будды.

Р.М.: *Стремление к постоянству, собственная личность и эгоизм — это основные ошибочные состояния, на которые направлены учения о явлениях и о шуньяте?*

Е.С.: Вопрос заключается в том, можно ли освободить сознание от этих заблуждений. Одна из причин заключается в том, что все отрицательные состояния сознания коренятся в самом сознании, которое цепляется за действительное существование. Это ошибочное существование может быть показано искаженным. Прекращая цепляться за понятие действительного существования, человек может обрубить корни всех этих заблуждений. Другой причиной является, как мы уже говорили, природа Будды, потенциал, который есть внутри нас для того, чтобы достичь просветления. Этими двумя типами заключений нужно доказать возможность того, что сознание можно освободить от заблуждений. Во-первых, нужно понимать, что мудрость, осознающая пустоту, мудрость, осознающая бескорыстие, и сознание, которое цепляется за действительное существование, являются полными противоположностями. Также есть разница между тем, что имеет, и тем, что не имеет действительной поддержки.

Мудрость, осознающая бескорыстие, — это качество сознания, а не тела. Оно обладает длительной протяженностью. Любое качество, основанное на телесном уровне, является чем-то временным. Качество, основанное на сознании, или рассудке, обладает большим смыслом, так как в нем всегда присутствует целостность сознания. Это качество обладает очень устойчивым основанием и, будучи в полной мере испытанным, не требует подтверждения для своего увеличения, а, напротив, обладает качеством для бесконечного увеличения. С другой стороны, сознание, которое хватается за действительное существование, обладает мощнейшим антидотом, и, когда мы развиваем знакомство с антидотом, его можно уменьшить и в конце концов избавиться от него.

Р.М.: *Если это так, то каким образом теория понимания явлений как, по сути, несуществующих помогает в процессе нашей духовной эволюции?*

Е.С.: Неправильное поведение тела и неправильная речь — это проявления этих заблуждений. Позднее, на второй стадии, необходимо работать над предотвращением этих заблуждений. На третьем этапе нужно работать над устранением отпечатков, оставленных этими заблуждениями. Пройдя через все три этапа, мы достигаем следующих результатов. Во-первых, результат воздержания от неправильного поведения тела и неправильной речи — то, что мы возродились на более высоком уровне в виде людей. Результат второго этапа, прекращение всех заблуждений, — это достижение нирваны, или освобождения, а третье состояние, в котором мы покидаем даже отпечатки, оставленные заблуждениями, называется всеведущим состоянием. Когда на основании чистого явления, коим является не-неотъемлемая природа сознания, человек полностью оставляет все заблуждения, он достигает состояния избавления от страданий.

Размышляя таким образом, человек начинает понимать, что существует прекращение в общем смысле, вероятно, что оно материализуется в собственном сознании человека. Так как для нас естественно не желать страданий, мы находим возможность освободиться от них. Нам нужно работать для достижения такого состояния. На основании этого и разъясняется путь.

Следовательно, буддизм говорит, что, не достигнув мудрости, осознающей бескорыстие, невозможно обладать опытом *мокши*.

УЧЕНИЕ О СОЗНАНИИ

Р.М.: *На Западе нет ни одного подхода, говорящего о сознании, страдании и спасении. Однако в западных взглядах есть нечто общее, возвращающее обратно к радикальному периоду, когда Фрейд и Юнг рассматривали «сознание» как нечто, имеющее довольно мало общего с сознательным, но больше связанное с бессознательным. Сегодня главенствующий подход основан на нейробиологической модели сознания, которая сводит «сознание» к физическим процессам, протекающим в мозгу.*

На Западе многие критикуют восточный подход к сознанию, утверждая, что он скорее метафизический, нежели научный или эмпирический. Даже Юнг, который более всех симпатизировал буддистской индийской мысли, говорил: «Мои представления эмпирического, а не спекулятивного характера». Каково Ваше мнение?

Е.С.: Думаю, большинство людей, придерживающихся западных взглядов так же, как и Юнг, и Фрейд, были неправы в одном — они считали, что понятие «сознание» в индийской буддистской мысли — метафизическое. Это не так. Сущность современного восприятия сознания — интернализация — то, что в нем есть нечто, что вызывает страдания, но также может избавить от страданий. Следовательно, страдание не возникает извне. Не существует духов, привидений, звезд, и т.д. Система индуизма включает пять страстей, а у буддистов есть *авидья*, цепляющиеся привязанности. Так, это все находится внутри, и это во многом — представление о современной психологической идее о сознании. Думаю, они ошибались, путая историю с опровержением.

Понятия индийской философии глубоко философичны. Западная философия повествует о приключениях современного европейского человека. Если только вы можете увидеть относительность, то есть неопределенность всех человеческих постулатов, вы сможете испытать то состояние, при котором современная психология обретает смысл. Однако психология не имеет смысла, если вы не можете сопереживать существам, которые вынуждены основывать свою жизнь на реальных жизненных фактах, а не на трансцендентальных постулатах, выходящих за пределы человеческого опыта.

Р.М.: *Ваше Святейшество, не могли бы Вы разъяснить буддистское понятие «сознание»?*

Е.С.: Использование термина «сознание» само по себе очень сложно. Коннотации, с которыми я использую этот термин, могут не сочетаться с самим словом.

Я приведу несколько основных объяснений буддистской мысли. Некоторые школы *тантраяны* говорят о разных уровнях сознания и тела. Согласно тому, что называется «сознанием», есть разные уровни их разновидности. Грубый уровень сознания — это продукт тела. Пока функционирует мозг, сознание активно. Как только мозг перестает функционировать, это сознание также не будет функционировать. Оно физическое и связано с химическими реакциями мозга. Основная природа сознания — это его ясность. В восприятии буддистов существует иное сознание с субстанциальной причиной, которое не имеет отношения к области физического тела.

На более тонком уровне сознание получает опыт бессознательно. Существует тончайшая энергия, которая способна отделить нас от наших тел. Но, честно говоря, об этом сложно говорить и сложно доказать, если у вас нет опыта медитации. Так, есть две категории сознания — «грубое сознание», которое зависит от физического тела, и более «тонкое сознание», не зависящее от физического тела.

Были такие случаи, когда человека объявляли мертвым с клинической точки зрения, однако тело оставалось свежим и не разлагалось в течение нескольких дней. К примеру, в течение тринадцати дней после смерти тело моего собственного наставника оставалось свежим. В начале семидесятых годов тело еще одного практика сохранялось в течение семнадцати дней после его смерти. Наше объяснение таково, что функции тела и мозга прекращают действовать, однако тело остается свежим, потому что тонкое сознание по-прежнему присутствует. Как только тонкое сознание покидает тело, исчезает контроль над телом на тонком уровне. После этого, понимаете, появляется некая жидкость, и вы наблюдаете начинающийся процесс разложения через несколько минут. Это имеет отношение к сознанию. Хотя мы постоянно используем слова «сознание», «собственная личность», «осознанность», обычно не зная, что есть сознание.

Р.М.: *Ваше Святейшество, что есть личность, которая составляет сознание и тело?*

Е.С.: Согласно буддистскому писанию собственная личность должна существовать вне своих составляющих частей не как нечто, совершенно независимое или исходящее откуда-то еще. *Не все буддистские* школы признают независимую, неделимую, постоянную собственную личность. Однако все буддисты признают третью из так называемых четырех печатей буддизма, согласно которой все явления пусты и бескорыстны. И хотя это действительно так, среди буддистских школ некоторые признают существование собственной личности. Они отождествляют собственную личность с пятью составляющими. Другие школы, затрудняясь отождествить собственную личность с обычным сознанием, которое постоянно меняется от добродетельного к неблаговидному, признают совершенно иное сознание, обладающее качествами нейтрального, вечно присутствующего сознания, и такое сознание называется сознание — основание всего. Эти школы отождествляют собственную личность со всеми пятью или какой-либо из составляющих частей.

Буддистский мудрец Чандракирти говорит, что составляющие напоминают имущество собственной личности. Это не сама личность; если бы составляющие были собственной личностью, имущество и человек, которому они принадлежат, стали бы одним и тем же. Пять составляющих делятся на две категории — тело и сознание. Мы обладаем этим врожденным чувством, что тело — это то, что нам принадлежит, — «мое тело». Поэтому мы также можем рассматривать тело как собственную вещь или объект для удовольствий, которые получает собственная личность. Аналогично у нас есть внутреннее чувство «своего сознания». Сознание также можно рассматривать как принадлежность личности. Следовательно, собственная личность должна отличаться от тела и сознания. Хотя это так, ее невозможно отделить от тела и сознания, если искать ее аналитическим путем.

С другой стороны, если бы эта собственная личность не существовала, не было бы и человеческих существ; тогда было бы бессмысленно вести наши рассуждения. Независимо от того, можем ли мы ее найти или нет, если искать ее аналитическим путем, собственная личность должна существовать. И хотя собственная личность действительно существует, мы не можем найти ее, если ищем аналитическим путем, и это доказывает, что она не существует независимо.

Р.М.: *Если собственная личность нематериальна, становится ли она в этом случае мечтой, иллюзией? Или это реальность, которая действительно существует?*

Е.С.: Может возникнуть вопрос о том, что если собственная личность — обозначение или наименование, так же как и человек во сне — обозначение или наименование, то есть ли между ними разница? Ответ в том, что и то, и другое не существует с точки зрения объекта. Они оба одинаковы в этом отношении, но между ними есть разница в том, как они существуют в качестве наименований. Вред не может быть причинен действительным познанием, которое пытается опровергнуть, что кто-то является человеком. Этого не может сделать мудрость, ищущая его конечную природу. Однако, хотя это самое сознание воспринимает человека во сне как личность, другие виды сознания могут опровергнуть это. Хотя они одинаковы в отношении не-существования в качестве объектов, разница в том, что одно мнение может быть другим сознанием, однако наоборот произойти не может. Следовательно, один человек условно существует как личность, а другой — не существует.

Так как мы установили, что собственная личность существует, мы избавились от крайностей нигилизма. И так как мы опровергли существование независимой природы, мы также избавились от крайностей этернализма. Таким образом, мы получили середину.

Если было бы возможно осознать абсолютное отсутствие независимой собственной личности, смогли бы мы постигнуть его? Ответ был бы положительным, его можно постигнуть. Хотя это явление невозможно рассматривать непосредственно или путем утверждения, его можно установить путем исключения противоположных факторов.

Как мы уже обсуждали, этот стол, будучи свободным от слона, — это нечто, что мы не можем воспринять положительно. Однако, исключая объект отрицания, в данном случае слона, мы можем понять, что этот стол освобожден от слона. Так как независимая личность — это то, что можно опровергнуть, рассуждая логически, можно сказать, что у нас есть уверенность в том, что такой личности не существует. Тип объекта отрицания, неотъемлемое «я», или независимая личность, не существует, а следовательно, может быть исключен логическими умозаключениями, в то время как другой тип объекта отрицания похож на сознание, которое хватается за такое действительное существование. И хотя это объект отрицания, он существует.

Можно подумать, что если независимая природа отсутствует во всех явлениях как их неотъемлемая часть, зачем нам ее понимать? Тогда встает вопрос о том, когда вещи предстают перед нами, каким образом это происходит? На самом деле, когда личность является нам так, как она выглядит? Также и в отношении наших друзей, наших врагов, посторонних людей, когда они кажутся нам таковыми, как это происходит? В этот момент, хотя по природе качества этих людей имеют место, между восприятием их есть разница — кажущиеся нам качества не требуют доказательств, поскольку кажутся крепкими, устойчивыми...

Р.М.: Человек может заблуждаться в том, что он может изменить мир. Как определить, когда сознание вводит нас в заблуждение, а когда нет? Сознание — это инструмент, который мы используем для того, чтобы рассуждать. Когда само сознание ошибочно, что мы можем сделать?

Е.С.: Есть два правильных взгляда: правильный мирской взгляд и правильный взгляд, выходящий за пределы мирского уровня.

Во-первых, взгляд, выходящий за пределы мирского уровня, относится к осознанию *природы явлений*, который означает, что пустота, то есть появление явлений как если бы у них было некое неотъемлемое существование, — это ошибочное восприятие. Из-за влияния этого ошибочного восприятия у нас есть восприятие, цепляющееся за их действительное существование, которое также ложно. Чтобы понять, что наше собственное сознание, которое видит их, ошибается, мы сначала должны понять, что сами явления лишены действительного существования. Осознав их природу, можно увидеть, что сознание, которому явления представляются таким образом, также заблуждается.

Когда нас обуревают эмоциональные горести, такие как ненависть или привязанность, объект нашего желания или антипатии кажется прочным, его добродетель или красота кажутся независимыми качествами, которые не изменятся никогда. Когда мы поймем, что объект нашего внимания на самом деле не такой, каким мы его видим, наше сокрушенное чувство ненависти или желания станет меньше. Это этап, на котором мы медитируем о пустоте.

Во-вторых, в правильном мирском смысле сознание, которое знает, что это нужно делать так, а другое нужно делать иначе, не обуреваемое такими сильными эмоциями, не связано с опытом таких сильных эмоций, как ненависть и т.д. Такое сознание должно судить на своем собственном основании.

Р.М.: *Часто следующие термины используются взаимозаменяемо — «собственная личность», «сознание», «осознание», «рассудок» — и не совсем в точном смысле.*

Е.С.: Согласно одной из буддистских школ мысли существует определенная часть сознания, которую мы называем «собственной личностью», однако другие буддистские школы не соглашаются с этим. «Собственная личность» — это нечто, отличающееся от «сознания». Но, конечно, «собственная личность» не может существовать без «сознания». В результате сочетания «тела» и «сознания» вы видите «собственную личность», «существо».

Р.М.: *Ваше Святейшество, вы упомянули, что это «я» напоминает наставника. Есть ли в нас что-то, что заставляет нас думать или действовать. Что есть это «я»? Без него человеческое существо может ли думать или действовать?*

Е.С.: В том-то все и дело. Мы не можем отрицать существование некоего «я». Мы не можем его найти, однако оно существует. Оно существует как результат наименования. Собственная личность, или «я», не является независимой, однако многие древние школы буддизма объясняют его как сущность, отличную от ее составляющих частей. Они утверждают, что тело меняется. Что касается «я», оно постоянно, это своего рода единство. Буддисты не принимают такого «я». Такое «я» мы называем *атма*, а само это слово символизирует нечто прочное или независимое. Очевидно, что, когда наше сознание меняется, автоматически меняется и «я». Когда мы испытываем боль, мы говорим «я болен», «мне больно». Это не есть «я», но мы можем выразить себя с помощью этих слов.

Р.М.: *Это то же самое «я», которое заставляет нас думать определенным образом?*

Е.С.: Такой силой является сознание. *Абхидхарма-самуккайа* — текст, написанный Асангой (выдающийся буддистский мыслитель, один из основателей школы йогачары), — повествует о шести типах ментальных факторов. Например, есть пять видов ментальных факторов, известных как всезнающие ментальные факторы, которые сопровождают каждое первичное сознание: чувство, осознание, намерение, применение сознания к определенному объекту (решающее внимание) и контакт.

Также есть внимательность, стремление и мудрость.

Одноточечность — не то же самое, о чем говорится в медитации *саматы*. Каждая ментальная мысль обладает неким аспектом, который удерживает сознание на объекте. У сознания есть фактор, анализирующий объект, а именно — фактор мудрости. Медитация, или *самадхи,* — это внутреннее спокойствие и особый взгляд на практику мудрости. Мы пытаемся развивать эти два фактора сознания: фактор концентрации и фактор мудрости. Здесь есть первоисточник, начало Будды. Когда первоисточника нет, ничего не может быть произведено, но основание присутствует. Мудрость — глубокая *самадхи,* или концентрация, возможна, так как существует стремление.

Объясняется множество различных видов сознания. В одном из буддистских текстов, бурмезе, называются около двухсот ментальных факторов. Хотя «я» — это только ярлык условного сочетания сознания и тела, мы больше отождествляем себя с сознанием благодаря нашему внутреннему сознанию.

Согласно другим буддистским типам сознания такие понятия, как «мое сознание», противоречивы. Даже когда мы говорим об условной собственной личности, том самом «я», существует множество его различных видов. Например, когда мы говорим «когда я был ребенком», нам кажется, что это «я» — нечто обобщенное «я», которое распространяется на все время — с детства и до настоящего времени. Когда мы говорим «в то время я был очень капризным, но теперь я исправился», мы ограничиваем себя определенным промежутком времени, и этот тип личности уже перестал существовать. Таким образом, мы можем постулировать много различных типов собственной личности, или «я». Согласно высшим буддистским школам мысли «я» — это просто ярлык, который дается составляющим частям тела.

Р.М.: Ваше Святейшество, какая природа сознания, или личной индивидуальности, сохраняется в состоянии нирваны?

Е.С.: Это довольно сложно объяснить. Когда мы очистились от негативной мысли, остается существо, которое очистило свое основное сознание. Так как оно полностью очищено, мы называем его буддой, или очищенным. Также есть некто, кто произвел очищение «я». Не существует сплошной вещи, или «я», которое может чувствовать это состояние отсутствия мысли; хотя мы достигаем универсального знания, концептуальной мысли нет.

Р.М.: Ваше Святейшество, буддистский подход к духовности также «рационален», использует логику и идет за исследованиями и экспериментами, в особенности когда дело касается «сознания». Прошу Вас прокомментировать.

Е.С.: В результате диалога с учеными я очень четко понял, что научная область — в особенности космология, нейробиология, субатомная физика и психология — очень тесно связаны с буддистской мыслью, или философией. Будет полезно объяснить, как эти четыре научные области соотносятся и связаны с учениями буддизма.

Даже в пределах своих собственных наставлений, в особенности обучая или наставляя учеников с разными умственными наклонностями, Будда применял различную тактику обучения. С буквальной точки зрения некоторые из учений не соответствовали реальности. Будда утверждал, что его последователи не должны принимать его слова на веру, но должны исследовать и проверять их экспериментально.

Будда призывает не принимать его слова слепо, без проверки, а эксперимент дает свободу исследования его слов. В этом контексте важно буддистское понятие «четырех надежд». Согласно этому понятию важнее исследовать значение учений, чем человека или учителя, который преподает этот предмет. Что касается учений, то более важно уделять внимание значению, нежели словам. В отношении значения нужно придавать большую важность конечному значению, нежели условному, или толковательному, значению. И наконец, что касается реализации этого окончательного значения, более важно положиться на глубокое понимание мудрости, нежели на условное понимание сознания.

Следовательно, для буддизма — в частности, в учениях *махаяны* — очень важно найти и понять причины, нежели просто принять слова Будды. Последователи или ученики Будды — это те, кто обладает острым умом и кто не будет принимать учения Будды просто потому, что их проповедует сам Будда. Они будут исследовать более глубокое значение, используя логические рассуждения, таким образом устанавливая подлинность учений. И только после установления подлинности учений они будут приняты.

Буддизм зиждется на четырех благородных истинах. Он основан на законе причинности, согласно которому изменения происходят тогда, когда для этого есть причины и условия. Четыре благородные истины — это действительное страдание, причины страдания, прекращение страдания и способы или методы превозмочь страдание. Научное мышление выполняет в буддизме важную роль.

Научный метод исследования и буддистский подход в целом следуют одному и тому же принципу. Первая благородная истина говорит о действительном страдании. Когда мы объясняем страдание и три сферы, связанные с ним, мы обнаруживаем связь с космологией. В соответствии с буддистским текстом земля плоская. Однако современной науке ясно, что земля круглая. Так как мы имеем возможность увидеть и произвести измерения, то, используя рассудок и прямой опыт, мы свободны отвергнуть утверждение о том, что земля плоская.

Буддистское объяснение того, как возник мир из пяти элементов, также перекликается с наукой космологией. Во-первых, изначально существовало пустое пространство или воздух, наполненное особой тонкой энергией. Из этой тонкой энергии развилось тепло, а из тепла возникла некая жидкость. Наконец, из этой жидкости возникла твердая материя. Вера в то, что твердая материя в итоге уступает космосу, и космологическая теория бесконечности Вселенной схожи между собой.

Вторая благородная истина, говорящая о причинах страдания, объясняется через теорию кармы, или действия. Особенно в контексте человеческого счастья и страдания, боли и удовольствия. Это очень тесно связано с мотивацией. С этим, а также с четвертой благородной истиной очень тесно связана психология, то есть наука о том, как превозмочь невежество или отрицательные эмоции. Посредством положительных эмоций можно устранить или уменьшить страдание.

Современная психология имеет отношение к области отрицательных эмоций. Для связи между мозгом и сознанием важна нейробиология. Существует множество интерпретаций третьей благородной истины о прекращении страданий, глубоких и небольших. Третья благородная истина связана с понятием пустоты. Здесь есть определенная связь с современной физикой, в частности квантовой теорией.

Это не только мой личный интерес. Структура всего буддизма, если ее правильно изучить, автоматически создает научный подход.

ТИБЕТСКОЕ ИСКУССТВО ТРЕНИРОВКИ СОЗНАНИЯ

Р.М.: *Ваше Святейшество, в тибетской традиции есть очень сложные техники тренировки сознания. По Вашему мнению, сознание можно тренировать так, как мы делаем это с телом?*

Е.С.: Исходя из своего личного опыта, могу с уверенностью сказать, что сознание можно изменить путем обучения. Когда я был молод, я был довольно вспыльчив, и хотя это не продлилось долго, я, бывало, очень часто выходил из себя. Теперь, в результате тренировки и, возможно, с возрастом я изменился. Вспыльчивость, как и привязанность, приходит и уходит, но мое монашеское сознание остается прежним. Сознание похоже на океан: на поверхности волны возникают и исчезают, однако на дне океан всегда остается спокойным.

Устранить негативные эмоции достаточно сложно — для этого необходимы большие усилия, медитация и действие. Однако возможно уменьшить интенсивность эмоций. Древние писания, их методы и техника очень важны в современном мире независимо от того, является человек верующим или нет.

Многие полагают, что деньги могут решать все проблемы человечества. Я думаю, что решение этих проблем не исходит извне. Западный материалистический образ жизни, конечно, важен для человечества, однако и духовные ценности в равной степени важны. Мы не должны пренебрегать своим собственным традиционным богатством. Это внутреннее богатство складывается из материального развития, физического комфорта, а также духовного комфорта, приобретаемого через тренировку сознания. Это не должно сводиться только к индусам или тибетцам, но должно распространяться на все человечество в целом. Для правильного баланса материальное и духовное должны идти рядом.

Р.М.: *Почему, по Вашему мнению, необходимо тренировать сознание? Каковы будут преимущества?*

Е.С.: Мы должны иметь четкое представление о преимуществах тренировок, так же как и об отрицательном, губительном их воздействии на сознание. Мы должны ясно осознавать пользу сострадания, любви, довольства и прощения, и то, что если на другом конце стоят ненависть, недовольство — они ведут к неприятностям. Даже с точки зрения физического здоровья чем более сострадательно сознание, тем спокойнее оно становится. Сострадание приносит нам внутреннюю силу и уверенность в себе, а это влечет за собой спокойствие. С другой стороны, гнев и ненависть очень и очень губительны для развития спокойствия или уверенности в себе. Когда ваше внутреннее отношение к другим людям негативно, у них автоматически возникает такое же отношение к вам. Это ведет к еще большему страху и сомнению. В результате возникает чувство беспокойства и тревоги — внутреннее состояние, весьма губительное для здоровья.

Сознание похоже на успешную жизнь, или счастливую семью, в которой есть различные эмоции. Большее сострадание, большая открытость приносят больше радости дому или всему обществу. Однако гнев и привязанность являются очень важными эмоциями. Это — часть повседневной жизни, и без них жизнь теряет свои краски. С этими дополнительными эмоциями жизнь становится более красочной.

Р.М.: *Испытываете ли Вы время от времени такие эмоции?*

Е.С.: О да! Иногда, конечно! Однако в действительности, когда вы контролируете эти эмоции, ваше сознание становится устойчивым. В результате ваша физическая личность также становится очень устойчивой. Слишком большое количество взлетов и падений очень неблагоприятно для тела. Поэтому деление на плохое и хорошее очень просто. Каждый хочет быть счастливым и прожить плодотворную жизнь, и мы должны стараться достичь счастья как главной цели в жизни. Положительные эмоции в итоге ведут к счастью, спокойствию и миру, а отрицательные приносят страдания или себе, или другим.

Р.М.: Ваше Святейшество, в западной традиции используются в основном две стратегии для преодоления душевной боли — лекарства для изменения биохимии мозга или терапия, когда пациент беседует с врачом и формулирует то, что может представлять из себя скрытые страхи. Как в тибетской традиции тренируется сознание?

Е.С.: Это в основном зависит от каждого конкретного случая. Людей, страдающих серьезными физическими недомоганиями, до́лжно лечить физическими средствами. Если проблема чисто психологическая, единственный способ вылечиться — это выразить свои чувства. Полагаю, что обычно есть примеры, когда произошедшее с человеком в прошлом заставляет его чувствовать дискомфорт или вызывает страх. В таких случаях бывает полезно выразить свои опасения. Когда мы видим, что ненависть, гнев (главные отрицательные эмоции) продолжают расти, по своему опыту могу сказать, что когда понимаешь их отрицательность и вред, можно занять определенное положение и дистанцироваться от них. Такое отношение само по себе оказывает влияние на отрицательные эмоции. Таким образом, в некоторых случаях лучше самому контролировать свои эмоции.

Р.М.: *Ваше Святейшество, число таких душевных заболеваний, как депрессия, самоубийство и т.д., увеличивается. Наука исследует биохимические процессы мозга и использует лекарства для их лечения, Вы же рекомендуете практику сострадания как лекарство, которое ведет к переменам. Каким образом Вы уравновешиваете практику медитации и использование химических препаратов для изменения состояния сознания?*

Е.С.: Внутреннее отношение имеет большое значение, и также существует необходимость в определенных лекарствах и таблетках. Также полагаю, что душевные проблемы и душевные заболевания — одной природы. Возможно, слишком радикальным будет полностью положиться только на технику медитации для тренировки сознания, однако я чувствую, что в равной степени радикально будет полностью положиться на внешние методы. Люди обладают чудесным умом, который должен использоваться для облегчения заболеваний, и в особенности душевных проблем.

Человеческий мозг похож на атомную силу, которая может быть использована как на благо, так и в разрушительных целях. И наконец, этот ум, эта интеллектуальная сила принесут большую пользу, если мы будем правильно использовать их. Медитация также может принести огромную пользу людям, страдающим душевными заболеваниями.

Лучше встретить проблему лицом к лицу, рассмотреть ее с различных сторон и таким образом уменьшить душевное бремя. Проблема может остаться, но сознание достигает необходимой умиротворенности и спокойствия, и проблему можно будет решить более эффективно и удачно.

Р.М.: *Ваше Святейшество, чем именно является тантра, в особенности в контексте буддизма? Возникло ли это понятие во времена Будды или появилось позднее?*

Е.С.: Оно возникло позже. Существует система верований, согласно которым даже махаяна — это не прямые учения самого Будды. Также существует общепринятое мнение, что тантра возникла позже. С другой стороны, если кто-то не принимает махаяну в качестве аутентичного учения Будды, тогда даже само просветление оказывается под вопросом. Следовательно, придется более или менее согласиться с тем, что махаяна — это аутентичное учение Будды. Разница заключается в том, что Будда обучал махаяне избранную аудиторию, а не всех подряд. В течение некоторого времени это учение оставалась тайной доктриной.

Тантра еще более тайная. Она также зависит от зрелости и кармы тех, кто ее практикует; вовсе не обязательно сводить ее возникновение к тому историческому времени, когда жил Будда Шакьямуни. Согласно подходу махаяны, хотя Будды Шакьямуни уже нет в живых, он по-прежнему считается живым. Есть много случаев, когда люди получали прямые указания от Будды. Исторически некоторые люди могли видеть Будду и получать от него учение. В некоторых случаях Будда Шакьямуни появлялся в виде монаха, в других — в виде Вайрадхары, бога с мандалой.

Р.М.: *Ваше Святейшество, Вы говорили о мантрах и эффекте, который они могут произвести. Некоторые из них помогают углубить мышление, а другие — сосредоточенность. Интересно, каким образом это могут сделать просто некие последовательности звуков?*

Е.С.: Устное повторение мантры, звуков — это буквально мантра. Когда мы повторяем мантру, мы думаем о значении мантры, которое является более глубоким. Как такого рода произнесение вызывает такой эффект, объяснить сложно. Думаю, когда мы произносим мантры правильно, возрастает добродетель. Мне неизвестна какая-либо связь со звуком.

Р.М.: Правда ли, что звуковые колебания некоторых слогов также изменяют энергию внутри и вокруг нас?

Е.С.: Да, это возможно. Конечно, другое дело — благословение. Мантра училась определенными силами, и на протяжении веков многие люди практиковали одну и ту же мантру. Думаю, что мантра благословенна сама по себе. Святые места благословляются людьми или заряжены какой-то энергией, а затем эти места благословляют тех, кто туда приезжает. То же самое верно и в отношении мантр. Если человек занимается практикой йоги ветров и визуализацией каналов и т.д., между ними существует тесная связь, которую можно объяснить. Следовательно, главный эффект от произнесения мантр входит в практику высочайшей йоги тантры, когда человек занимается йогой ветров и каналов. Это один способ посмотреть на это. Больше я ничего не могу сказать.

Р.М.: Ваше Святейшество, слово «мантра» обозначает защиту сознания, что, по существу, положительно, созидательно. Можно услышать истории о людях с дьявольскими намерениями, которые используют мантры, чтобы причинить вред другим. Во-первых, возможно ли это, а во-вторых, если это возможно, нет ли здесь противоречия?

Е.С.: Такая возможность существует. Янтра, мантра, когда мы говорим о различных понятиях, таких как мир, рост, влияние, гнев и т.д., подразумеваем, что они различаются. Некоторые люди осваивают и практикуют; другие не обладают глубокой силой концентрации, альтруизмом или пониманием *шуньяты*. Они могут причинить вред с помощью определенной техники, однако такая сила в значительной степени ограничена.

Мантры используются в различных практиках. Также есть разные виды мантр, например те, которые разъясняются Вайрадхарой и Буддой в тантрических трактатах. Существуют также другие виды, которые объясняются мировыми божествами. Очень сложно различить буддистские и не буддистские мантры. Необходимо проводить разграничение с точки зрения существования дополнительных факторов мудрости, которая понимает *шуньяту* и альтруистическое отношение, стремление помочь другим в достижении просветления. Сложно провести такое различие с точки зрения самой мантры.

Различные виды божеств, мандал и мантр, основанных на теории *атмы*, не принадлежат буддизму. Эти божества, мандалы и мантры, по существу, основанные на *анатме*, *шуньяте*, являются буддистской тантрой.

СИЛА МЕДИТАЦИИ
И ВИЗУАЛИЗАЦИИ

Р.М.: *Ваше Святейшество, что есть медитация?*

Е.С.: С точки зрения буддизма медитация — инструмент для управления нашим сознанием и расширения умственных способностей. Это означает *самадхи*, то есть направление нашей ментальной энергии в правильное русло. Медитация используется для того, чтобы увеличивать наши ментальные энергию и проницательность, или бдительность.

Р.М.: *Может ли медитация быть мирской, или она обязательно должна принадлежать определенной религиозной традиции?*

Е.С.: Нет-нет! Это просто тренировка сознания.

Р.М.: *Есть ли взаимоотношение между медитацией и религией?*

Е.С.: Медитация — инструмент для формирования или изменения сознания. Являетесь ли вы бизнесменом, ученым, врачом или учителем, если ваше сознание более бдительно, более спокойно и проницательно — это очень полезно для вас. Сознание — первичный источник энергии, поэтому его тренировка очень полезна во всех отношениях. Таким образом, медитация необязательно может быть религиозным занятием.

На самом деле все главные мировые религии одинаково призывают к состраданию, любви, прощению и обретению духа гармонии. Однако это не означает, что, если вы принимаете эти ценности, вы должны принять религию в целом. Нам приходится проводить такое разграничение между чисто религиозными понятиями, такими как вера, и основными положительными качествами. Это две разные вещи. Что касается меня, я полагаю, что все основные мировые религии просто укрепляют основные положительные качества, и все. Так как мы являемся людьми и хотим быть счастливыми и жить в счастливом человеческом обществе, бесполезно отрицать эти основные хорошие человеческие качества. Очевидно, что без них человек, семья или общество не смогут достичь счастья.

Р.М.: *Каким образом медитация связана с достижением счастья?*

Е.С.: Я всегда полагал, что счастье является целью нашей жизни. Есть два вида счастья: один из них исходит от физического комфорта, а другой возникает на ментальном уровне, посредством тренировки сознания. Очевидно, что из этих двух выше стоит и более влиятелен ментальный комфорт, так как, если наше сознание находится в спокойном и счастливом состоянии, можно превозмочь незначительный физический дискомфорт или даже небольшую боль. С другой стороны, если наше сознание неспокойно, мы не станем счастливыми, даже если обладаем лучшими возможностями. Это совершенно ясно. Следовательно, часто ментальный опыт бывает более важен, чем физический.

Конечно, опыт подразумевает определенное ощущение, ощущение сознания. Непосредственная причина — физическая по своей природе, а другая — само сознание; таким образом, есть два вида опыта. Так как ментальный опыт очень важен, сразу же возникает еще один вопрос: можем ли мы сами работать над собой, чтобы развить сознание? Человечество в целом отличается большой сообразительностью, так как, в отличие от других видов, только люди изобрели технику формирования своего сознания. Обычно мы называем эту технику медитацией.

Р.М.: *Существуют ли разные виды медитации? Почему медитация важна в нашей повседневной жизни?*

Е.С.: Грубо говоря, есть два вида медитации. Один из них — аналитическая, использующая причину; другой — тот, где сознание останавливается в одной точке, не происходит никаких изменений или исследования, — «одноточечность». В обоих случаях основной целью является то, что наше сознание показывает точку, которую мы хотим достигнуть. Например, ментальное отношение играет очень важную роль в нашей повседневной жизни. Когда мы просыпаемся утром и чувствуем, что наше сознание счастливо и свежо, оставшаяся часть дня проходит хорошо, даже если у нас возникают трудности. Если ваше сознание притуплено, даже что-то незначительное может стать причиной вспышки гнева. Как видите, ментальное отношение очень важно в нашей повседневной жизни.

Р.М.: *Стоит ли придавать большую важность месту медитации?*

Е.С.: Для новичка место медитации имеет достаточно большое значение. С приобретением определенного опыта внешние факторы не оказывают большого влияния. Для тех, кто имеет возможность находиться в отдаленных местах, нет никаких сложностей. Однако нравится нам это или нет, нам приходится оставаться там, где мы находимся. Это наши установленные места.

В идеале место для медитации должно быть тихим. А когда мы медитируем об одноточечности сознания, нам необходимо полностью изолированное место — и никакого шума. Это очень важно. Для некоторых упражнений в йоге также очень важна высота. Чем выше находится место, тем лучше, поэтому высокие горы — это самое лучшее место. Также есть еще один фактор: места, где раньше жили опытные йоги, благословенны и получают от них заряд энергии. Впоследствии люди с меньшим опытом получают от этого места вибрации, благословения, а также заряд энергии.

Р.М.: *Ваше Святейшество, Вы говорите о двух видах медитации, и оба они тренируют сознание. Как понять, какой из них наиболее подходит нам?*

Е.С.: Итак, как мы тренируем наше сознание? Как я уже говорил, есть два способа. Один из них — аналитическая медитация, которую я считаю более эффективной ввиду человеческого интеллекта, или различающей осведомленности. В результате человеческого интеллекта, или различающей осведомленности, мы обладаем тенденцией к большему знанию: очень правильно такое отношение — когда мы не можем что-то принять, сперва не увидев причины. С точки зрения буддизма правильно использовать скептическое отношение, подразумевающее не просто принятие чего-либо, но способность ждать, проводить эксперименты и искать причины.

Когда вы видите причину и приобретаете опыт через эксперимент, вы принимаете его — таково буддистское отношение и научный подход. Необходимо использовать причину, чтобы вещи можно было ставить под сомнение.

С помощью аналитической медитации вы анализируете ситуацию, используя причину, эксперименты и развиваете истинное убеждение. Когда убеждение развито, ваша вера становится крепкой. Даже если кто-то попытается заставить вас сомневаться, а вы уже провели эксперимент и проанализировали ситуацию, вы останетесь тверды в своих убеждениях.

Что касается одноточечной медитации, вы просто медитируете над точкой, необязательно развивая какое-либо твердое убеждение. Даже если перед вами оказываются противоречивые свидетельства, вы можете мгновенно изменить свое сознание. Таким образом, аналитическая медитация более эффективна и важна.

В обоих случаях, когда вы анализируете ситуацию, сознание должно проводить всю вашу ментальную энергию, так что анализ становится более убедительным и глубоким. Для этого нам также необходима определенная одноточечность. Возможно, если у вас есть опыт одноточечной медитации, это повышает и улучшает качество вашей аналитической медитации.

Р.М.: *Не могли бы вы уточнить технику одноточечности? Некоторые люди закрывают глаза, другие этого не делают, а как делать правильно?*

Е.С.: Обычно лучше всего попробовать это там, где меньше всего шума от аэропланов, автомобилей, грузовиков, сигналящих машин, ветра или водопадов. Однако нам приходится использовать свое собственное место так эффективно, насколько это возможно. Лучшим временем являются утренние часы, когда водители грузовиков еще спят! В это время сравнительно меньше шума и, что еще более важно, наше сознание свежо.

Тренировка сознания подразумевает формирование нашего сознания. Это делается через само сознание, а не посредством внешних средств. Сознание должно быть очень свежим и всецело бдительно, с отсутствием чувства усталости. Если ваше сознание находится в таком состоянии, оно будет работать наиболее эффективно. Поздним вечером наше сознание притупляется, приходит чувство усталости. Думаю, что новичку лучше всего начать с того, чтобы просто постараться уединиться. Сознание всегда находится вместе с нашим телом и не является чем-то внешним. Но наше сознание обычно смотрит наружу, а жаль. Нам приходится давать новые указания своему сознанию. До настоящего момента мы подробно изучили то, что находится снаружи. А теперь пришло время проверить само сознание, поэтому обратитесь внутрь себя.

Иногда бывает полезно закрыть глаза. В другие моменты ваши глаза открыты. В целом неважно, открыты или закрыты ваши глаза. Представьте себе что-то и сосредоточьтесь на этом с помощью вашего основного сознания. Сначала устраните сознание, включая зрение, слух и т.д. Затем примите решение о том, что в следующие несколько часов вы не позволите этим органам чувств отвлекаться на внешние предметы и даже если чувства уйдут, ваше основное сознание не последует за ними. Также в пределах сознания необходимо контролировать свои мысли. Вы должны намеренно попытаться отвлечься от прошлого и будущего. Если вы можете находиться в состоянии отсутствия мыслей немного дольше, тогда постепенно увеличивайте продолжительность медитации. В этот момент у вас может возникнуть ощущение пустоты, отсутствия всего, космоса или глубокого океана, волны на поверхности которого приходят и уходят, но сама вода остается чистой и прозрачной. Таким образом можно посмотреть на само сознание. Хотя это непросто, стоит попробовать медитировать.

Р.М.: *Что значит — медитировать о сожалении?*

Е.С.: Истинное сожаление — это не чувство близости, как это обычно считается: «Это мой близкий друг», или «Это хорошо для меня». Это привязанность, когда многое зависит от объекта. Такое ментальное отношение, или чувство близости, меняется, если человек несколько меняется. Ваш враг или незнакомые люди не могут развить такое чувство. Искреннее сострадание в основном основано на осознании, что другие человеческие существа такие же, как и я, они тоже стремятся к счастью; у них тоже есть право пре-

возмочь страдания. На этом основании существует дух
участия, чувство близости. Это — истинное сострадание, и такое сострадание может быть направлено на
вашего врага. «Врагом» может быть человек или сообщество, которые создают трудности для нас, которые причиняют нам вред. Однако есть способ увидеть
этого самого человека или сообщество с другой стороны, совершенно так же как и себя. Они тоже обладают правом превозмочь страдания. На этом основании мы можем развить искреннее чувство участия, искреннего сострадания.

Медитировать о сострадании — думать о несчаст-
ных людях, например о тех, кто голодает или является
умственно отсталым. Если вы будете помнить о них, вы
разовьете в себе участие и сострадание, а также те чувства, которые основаны на разуме. Это отличается от
привязанности и эмоций. Это также отличается от чувства гнева, которое является основной природой и ро-
дом спонтанного эмоционального чувства. Искреннее
сострадание не может возникать спонтанно. Оно появляется посредством анализа, рассуждения и мысли и
основывается на разуме. Когда вы развиваете сильное
чувство сострадания, медитируйте о нем всем своим
сознанием. Погрузитесь в него не думая, не беспокоясь,
просто медитируйте о нем. Анализируйте, остановив
свое сознание, определив, что останетесь в нем. Если
вы почувствуете, что что-то делает вас слабым, снова
анализируйте и попытайтесь развить сильное чувство, а
затем медитируйте о нем. Это первый способ.

С течением времени наше ментальное отношение меняется. Когда развивается сострадание, становится легче справиться с гневом, ненавистью или очень сильными негативными эмоциями. Если вы проанализируете все это, вы обнаружите, что у этих эмоций нет логического основания, но в определенный момент они очень сильны и ими сложно управлять. Развивая в себе сострадание и учась ценить его, вы увидите негативность ненависти и то, как она разрушает ваше здоровье. Когда гнев постоянно приходит и уходит, возникают проблемы с кровяным давлением, бессонница, потеря аппетита и все сопутствующие проблемы. Вы можете даже поссориться с самым близким другом.

Полагаю, что на международном и национальных уровнях, на уровне семьи или индивида гнев приносит несчастья. Иногда он приносит могущественную, яростную энергию, однако эта энергия слепа, и невозможно быть уверенным в том, разрушительна она или созидательна.

Р.М.: Ваше Святейшество, на Западе широко применяется лекарство под названием прозак. Оно изменяет биохимические процессы в мозгу таким образом, что человек чувствует себя счастливее. Каково Ваше отношение к его использованию в погоне за счастьем?

Е.С.: Во-первых, мне ничего не известно об этом лекарстве. Я им никогда не пользовался. Мое мнение таково, что то счастье, которые получаешь в результате применения этого лекарства, подобно галлюцинации — как избыток алкоголя. В определенный момент теряешь истинный чувственный контроль. Видите ли, в нашей жизни всегда существуют какие-то проблемы, и многое зависит от вашего внутреннего отношения. Но если благодаря какому-то химическому веществу вы думаете: «О, все хорошо» — это просто иллюзия. Я часто повторял, что наша основная проблема — в том, что мы ограничены невежеством и, следовательно, находимся за мощнейшей стеной иллюзий. Нам не нужно еще больше иллюзии. Думаю, что лучше реалистично смотреть на вещи.

Р.М.: *Не могли бы Вы рассказать нам о випасьяне как о технике медитации?*

Е.С.: *Випасьяна* согласно индийскому учителю Асанге — это состояние, в котором мы достигаем внутренней утонченности после того, как мы применили анализ, сохраняя устойчивость концентрации. Сознание становится прочным. Такое состояние сознания известно как *випасьяна.*

Есть два основных вида *випасьяны* — основанная на условных явлениях и на пустоте. В випасьяне, основанной на условных явлениях, один из способов медитации — сосредоточиться на дыхательном процессе. *Випасьяну* можно практиковать с помощью визуализации божеств, божественных существ, выделения их из себя и снова впитывая их. А также есть и третий тип, мировая практика *випасьяны*, в которой мы концентрируемся на недостатках сферы желания и преимуществах бесформенных и имеющих форму сфер, высших сфер, именуемых сравнительной *випасьяной*.

Р.М.: *Может ли випасьяна помочь нам медитировать и понять пустоту? Как это происходит?*

Е.С.: Я вкратце разъясню медитацию о пустоте в рамках размышления об отсутствии единственности и множественности. Во-первых, для того чтобы медитировать о пустоте, необходимо определить пустоту, о которой мы медитируем, то есть то, что должно быть отвергнуто. Пока мы не определим объект отрицания, мы не можем получить образ ее отсутствия. Следовательно, во-первых, мы должны развивать понимание и образ того, что должно быть опровергнуто. Для этого сначала более удобно поразмышлять о самом себе.

Когда мы говорим, «я хожу, я ем, я остаюсь», подумайте, какая «собственная личность», или «я», возникает в вашем сознании. Попробуйте вспомнить неприятные ситуации, в которых вас несправедливо обвиняли в чем-то, или приятные ситуации, в которых вас хвалили, когда вы вызывали всеобщее восхищение, и т.д. В такие моменты состояние вашего сознания постоянно изменялось. В это время вы можете определить свое «я», или себя, более четко. Теперь подумайте, когда это «я» возникает в вашем сознании, возникает ли оно как нечто отдельное от вашего тела и сознания? Как независимая сущность? То «я», которое появляется и так живо, что вы чувствуете, как к нему можно прикоснуться, нечто независимое от вашего тела и сознания этот вид «я» — самая неверная проекция, это и есть объект отрицания. Это первое и самое важное определяющее, что должно быть опровергнуто.

Если такое «я», или независимая собственная личность, существует, существует ли она вместе с телом и сознанием, или действительно отделена от них, или есть еще какой-то способ ее существования? Нужно рассмотреть разные возможности. Вы обнаружите, что если бы оно действительно существовало как независимая сущность, оно должно было быть единым либо с телом, либо с сознанием — с составными частями, или отдельным, так как третьего способа существования нет. Это — второй важный момент. Он может быть либо единым с составляющими частями, либо совершенно независимым от них. Если оно едино с составляющими частями, тогда, так же как и «я», тело и сознание должны быть едины, так как они идентифицируются с собственной личностью. Если собственная личность отдельна, тогда, подобно тому, как составные части множественны, точно таким же способом собственная личность должна быть множественной. Если бы эта независимая собственная личность, или «я», существовала как нечто совершенно отдельное, действительно независимое от своих составных частей, ее можно было бы обнаружить даже после того, как составные части перестают существовать. Однако это не так.

Например, на рассвете или в сумерках, когда света не очень много, кто-то может увидеть моток веревки, испугаться и подумать, что это змея. Кроме образа змеи, в сознании человека не существует смысла действительного существования змеи со стороны предмета, веревки. Подобным образом это касается составных частей, когда у вас есть видение «я» в них, хотя такая видимость возникает из составных частей, нет не единой частицы, которая могла бы идентифицироваться с «я» в пределах составных частей. Так же как змея — это только неверная проекция, а действительного существования змеи нет, точно так же нет действительного существования человека, есть только ярлык, накладываемый на составные части. Так как рассматриваемый объект не обладает существованием, в обоих случаях они являются одним и тем же.

Р.М.: *В системе мадхьямика фундаментальное существование вещей объясняет их фундаментальную пустоту. Существует ли способ управлять восприятием этого не-существования для тех из нас, кто не достиг его посредством випасьяны?*

Е.С.: Для того чтобы развить мудрость восприятия или осознания пустоты, нет необходимости достигать *випасьяны* или *саматы*. Однако для того, чтобы сделать мудрость, осознающую пустоту, более могущественной, а также для дальнейшего развития, необходима *випасьяна* и *самата*. Вы очень правильно заметили.

На те вещи, которые существуют условно, могут влиять условные функции; если бы это было так, на этом основании можно было бы объяснить пустоту. Так как у нее отсутствует фундаментальное существование, все эти, казалось бы, разные уровни возможны. Что вы имеете в виду под восприятием пустоты? Вы имеете в виду, что не нужно полагаться на логические умозаключения?

Р.М.: *Да, я имел в виду, что если что-то правда, это также должно соответствовать нашему собственному опыту. Это и будет проверкой.*

Е.С.: Действительный опыт пустоты на начальной стадии, свежее осознание пустоты должно исходить из логического процесса. Необязательно обращаться к формализованным рассуждениям и объяснениям, нужно применить логическое мышление и приобрести первое дедуктивное понимание, которое затем может привести к непосредственному опыту.

Р.М.: *Випасьяна в нашем сознании является шагом по направлению к самоотверженности, в то время как тантрическая медитация через внешнюю форму может отвлекать нас. Мне непонятно, как это соотносится с простотой достижения самоотверженности; разве випасьяна — не более простой путь, чем тантрическая медитация?*

Е.С.: Тантрическую медитацию практиковать сложно; это совсем непросто. В тантрической практике есть особое значение — особый смысл, особая цель. Одно сознание одновременно практикует **две добродетели — это особое качество тантрической практики.**

В сутраяне сознание сосредоточено на *шуньяте,* и мы накапливаем одну добродетель. В таком состоянии мы накапливаем запасы мудрости, однако в этом состоянии невозможно накопить запасы добродетелей. В одно время мы практикуем развитие *бодхичитты,* или сострадания. В другое время, когда мы практикуем развитие *бодхичитты,* или сострадания, *метти,* мы накапливаем другой вид добродетели. В эти моменты мудрость не может развиваться. В тантрической практике сама мудрость, которая понимает *шуньяту,* трансформируется в божества, мандалы, явления так же, как божество проникает в конечную природу божества, *шуньяту.* Эта мудрость создает обе добродетели одновременно. Она достаточно просто объясняется, но эта практика очень сложна! Эту тантрическую практику необходимо также категоризировать как практику *випасьяны,* потому что существует много уровней практики *випасьяны.*

Р.М.: *В тибетском буддизме визуализация Тары и других атрибутов Будды считается важной техникой. Разъясните, пожалуйста.*

Е.С.: Объяснение из тантрической практики таково, что есть разные виды деятельности в отношении различных аспектов атрибутов Будды и воплощения различных форм.

Что касается пути, на самом деле нет необходимости визуализировать Будду. Без какой-либо визуализации просто медитируйте о *шуньяте* (или *шуньяте* со стороны мудрости) и бодхичитте, или альтруизме, со стороны метода, или упайя. Однако в тантрической практике обычно необходимо практиковать визуализацию, так как результирующее состояние имеет как форму-тело (рупакайя), так и правду-тело (дхармакайя). Основная причина, по которой мы стремимся достичь страны Будды, — чтобы помочь другим чувствующим существам. Действительное качество Будды, которое помогает и служит другим чувствующим существам, — это *рупакайя*, а не *дхармакайя*. Поэтому, когда бодхисаттва развивают истинное стремление достичь просветления, они концентрируются в основном на достижении формы-тела. Для того чтобы его достичь, нужно накопить необходимые причины и условия. И этот закон причины и следствия пронизывает все непостоянные явления, включая состояние будды. Следовательно, необходимо обрести основную причину для этого формы-тела, однако практика мудрости не может стать этой основной кармой, так как основная функция накопления добродетелей — достижение формы-тела. Форма-тело похоже на конечный отпечаток добродетели.

С другой стороны мудрость, осознающая пустоту, — это как основная карма для достижения правды-тела. Так как существует два вида результирующих
тел, есть и две различные причины. Хотя практика отдачи, морали и т.д. также может быть причиной формы-тела, она не может быть основной причиной. Если
бы это было так, это противоречило бы естественным
законам причины и следствия. Фактор, являющийся полной, основной причиной для формы-тела, практикую-
щийся в тантре, — особая энергия ветра. Если такой
вид особой энергии не создается вместе с мудростью,
сочетания метода и мудрости просто не может быть.
Следовательно, необходимо развивать сознание, которое само по себе едино, но также имеет часть мудрости и часть метода для актуализации формы-тела и
правды-тела, полных в пределах одного сознания.

В целом, если задать вопрос о том, как выглядит
форма-тело, определенного ответа не существует, —
нельзя сказать, что оно похоже на статую и т.д. Однако
можно представить себе нечто, что может представить
себе человек. Нужно взять предмет такой формы или
изображение божества, которое обладает сходными
чертами с результирующей формой-телом, и, концен-
трируясь на такой форме, размышлять о его пустоте. Тогда мы одновременно получим внешний вид божества
и понимание его пустой природы. Следовательно, такое
сознание обладает этими обоими качествами — визуализацией божества и пониманием пустоты, — полными

в нем. По этой причине в тантрической практике необходимо визуализировать божества и мандалы.

Так как мы медитируем о божествах, также используется произнесение мантры определенного божества, но в действительности упражнения должны выполняться посредством ментальной медитации. Однако, если вы устали под конец сеанса медитации, вместо дополнительной работы для сознания можно дать работу губам и повторить мантры.

Р.М.: *Эти божества олицетворяют различные атрибуты Будды?*

Е.С.: Да. Когда мы говорим о различных аспектах божеств, существует два вида понимания. Одно из них заключается в том, что эти божества являются различными аспектами различных качеств Будды. Второе возникает, когда индивидуумы принимают определенные формы Будды в качестве своего основного божества для медитации и медитируют на этом основании. Когда человек достигает просветления, он становится этим божеством. В этом случае Тара, Авалокитешвара или Маньюшри отличаются от Будды Шакьямуни. В то же время существуют божества, которые являются проявлениями единого Будды.

Р.М.: *Ваше Святейшество, каким образом необходимо располагать религиозные атрибуты?*

Е.С.: То, как нужно располагать различные предметы, также разъясняется. Если вы можете позволить себе иметь все необходимые религиозные предметы, выставите их; если не можете, это не имеет большого значения. Великий тибетский йог Йоги Миларепа не имел ничего, кроме новых бумажных свитков с наставлениями его учителя Марпы, которые он расположил по всей пещере. И хотя у него ничего не было, однажды ночью к нему залез вор. Миларепа рассмеялся и сказал: «Я не могу ничего найти здесь днем, что же вы здесь сможете найти ночью?» Говорят, тот, кто умеет медитировать по-настоящему, никогда не испытывает нехватку внешних материалов.

Р.М.: *Вы считаете, что самое важное — это мотивация?*

Е.С.: Да. Есть одна история об одном из величайших йогов Тибета. Однажды он расставил свои дары особенно хорошо, а потом сел и подумал: «Зачем я это сделал?» Он понял, что сделал так потому, что хотел произвести впечатление на одного из своих покровителей, посещения которого он ожидал в тот день. Он почувствовал такое отвращение к своей искаженной мотивации, что набрал горсть земли и швырнул ее на приношения.

Другой йог был вором. Однажды, когда он был в гостях, его правая рука сама потянулась за красивым предметом. Он схватил свою правую руку левой и закричал: «Держите вора, держите вора!» Такой способ действительно эффективен, так как в каждый момент совершается правильный поступок. Когда мы подметаем пол, убираем или делаем какие-либо приготовления, наша мотивация должна быть чистой и искренней, и мы должны желать не только навести порядок в доме, но и привести в порядок сознание. Не нужно решать мировые проблемы — желательно свести их к минимуму, насколько это возможно.

Далее, когда мы визуализируем божества, подносим дары и произносим мантры, мы должны делать это так, как если бы мы готовились к приему дорогих гостей. Когда мы ждем гостя, мы наводим порядок перед его приходом, не так ли? Перед тем как заняться медитацией, сначала приберитесь в комнате. Ваше желание не должно быть испорчено отрицательными состояниями сознания, такими как привязанность, ненависть и др.

Р.М.: *Ваше Святейшество, как делать выбор, когда мы визуализируем божество?*

Е.С.: Прежде всего необходимо дать объяснение статуи Будды. Санскритское слово «Будда» имеет глубокое значение. Оно означает очищение сознания человека от ошибок и полное развитие осознания человека. Будда также известен как Татагата, то есть «проникнувший в природу *существа* и возникший из природы». Когда объясняют значение чего-то, возникающего из природы, говорят о трех телах Будды: дхармакая, или правда-тело, самбогакая, или тело наслаждения, и нирманакая, или тело эманации. Подробно эти три тела Будды описаны в писаниях махаяны.

Когда Будда пришел в эту Вселенную в облике Будды Шакьямуни, он обрел тело наслаждения из правда-тела. Все величайшие события в его жизни, начиная с зачатия в утробе матери и заканчивая его паринирваной, рассматриваются как деяния Будды; следовательно, считается, что Будда Шакьямуни также жив и сейчас.

Будда также известен как Сугата — то есть «тот, кто обрел покой или по мирному пути перешел в мирное состояние». Это также объясняет мирное осознание, мирное отречение, или прекращение. Природа Будды, которая является неотъемлемой для всех чувствующих существ, также известна как Сугата, или сущность Будды.

Тело, речь и сознание Будды объясняются различными проявлениями: тело как Авалокитешвара, речь как Маньюшри, а сознание как Вайрапани. Однако в тексте Авалокитешвара, Маньюшри и Вайрапани объясняются как воплощения сострадания, мудрости и энергии, или праведных деяний Будды. Авалокитешвара, Маньюшри и Тара — мирные божества, а Вайрапани — немного сердитое божество.

Если человеком овладевают сильный гнев и сила сознания, он может совершить проступок, и по этой причине существуют сердитые божества. Согласно высочайшей йогатантре это называется «брать желание или ненависть с собой в путь». О Таре также говорят как об очищающем аспекте телесных ветров (энергии). Различные качества Будды, такие как сострадание, мудрость, сила и т.д., зависят от движущего фактора, которым является энергия сознания — *прана*. Можно также сказать, что Тара — божество женского рода. По легенде, Тара пожелала стать просветленной в женской форме, когда она развивала стремление достичь просветления.

Р.М.: *Ваше Святейшество, не могли бы Вы научить нас, как правильно заниматься медитативной визуализацией?*

Е.С.: На расстоянии примерно одного метра перед собой и на уровне глаз нужно визуализировать божества в окружении света. Визуализация божеств в виде ярких лучей света помогает устранить внутреннюю слабость или сонливость. Напротив, визуализация божеств в виде чего-то тяжелого и твердого способствует уменьшению внутреннего волнения, которое может нас беспокоить.

Справа от Будды визуализируйте бодхисаттву Авалокитешвару в белом цвете, который символизирует чистоту, а Маньюшри, воплощение растущей мудрости, — слева от Будды в желтом цвете. Желтый цвет является символом роста. Уникальность медитации об Авалокитешваре состоит в том, что она увеличивает силу сострадания, а медитация о Маньюшри увеличивает мудрость. Затем перед Буддой визуализируем Вайрапани. У Вайрапани — слегка сердитое выражение. Если у вас есть признаки таинственных или невидимых преград, произнесение мантры Вайрапани поможет их преодолеть. Затем визуализируйте Арью Тару позади Будды; практика долгожительства обычно совершается с помощью медитации Тары.

Одна из рекомендаций по визуализации всех чувствующих существ — справа от нас мы визуализируем всех родственников мужского пола, начиная с отца, а слева — всех родственников женского пола, начиная с матери. За спиной — все остальные чувствующие существа, кроме врагов, которые находятся перед нами. Мы визуализируем этих разных чувствующих существ в виде человеческих существ, которые, однако, активно проходят через страдания своих собственных перерождений. Размышляйте о том, что так же, как мы сильно желаем счастья и хотим избежать страданий, этого хотят и все чувствующие существа, особенно те, с кем мы боремся как с нашими врагами, или кого подозреваем в том, что они желают нам вреда, то есть люди, которые нас раздражают. Намеренно визуализируйте этих людей перед собой и думайте: «Природа этих чувствующих существ — такая же, как и моя; человек тоже хочет счастья, а не страдания». Если у вас будет отрицательное отношение к людям, если вы будете испытывать отрицательные чувства, это не причинит им вреда, не так ли? Вы только лишитесь своего собственного спокойствия. Наверное, отрицательные чувства имеют смысл только тогда, когда они причиняют вред другим!

По этой причине враг сознательно визуализируется перед собой — не из бдительности, но просто с тем, чтобы тренироваться в более позитивной манере. Затем глубоко искренне мы произносим следующие священные слова двадцать один раз или сколько сможем:

Намо будая
Намо дхармая
Намо сангая

Если у вас есть желание и время и вы чувствуете, что это нужно, вы можете выполнить следующее упражнение. Произнося формулу спасения с определенной мотивацией, сострадательным сознанием и верой, вы визуализируете, как светлые лучи, исходящие от божеств, входят в ваше тело и в тела чувствующих существ, которые окружают вас. Визуализируйте все отрицательные установки, такие как ненависть, желание, невежество, гнев и другие вне себя и других чувствующих существ, умиротворенные этими лучами света.

Р.М.: *Почему Тара особенно помогает избежать болезней и достичь долгой жизни и каким образом нужно стараться визуализировать лучи света, когда мы ее используем?*

Е.С.: Многие тексты Тары имеют отношение к выполнению различных видов деятельности. Если Авалокитешвара считается воплощением сострадания, а Маньюшри — мудрости, то Тара — это воплощение ветра, прана. Для того чтобы жизнь человека была долгой, очень важна протяженность внутреннего дыхания. Полагаю, что между ними есть связь, так как существуют определенные упражнения для продления жизни, когда человек задерживает дыхание.

Когда мы занимаемся практикой визуализации, мы визуализируем круг мантры в сердце Тары. Лучи света исходят от этого круга и растворяются во всем вашем теле, особенно в тех точках, где вы испытываете боль. Лучи света могут быть холодными или горячими в зависимости от того, какой болезнью вы страдаете.

Р.М.: *Необходима ли визуализация? Я бы предпочел внешнюю и внутреннюю простоту.*

Е.С.: Это зависит от человека. Здесь возникает множество вопросов. Какая медитация? Медитация о природе сознания без больших рассуждений? Просто сосредоточение на природе сознания? Тогда какой это уровень природы? Один из аспектов природы сознания бесцветен и не имеет формы, и все же это некая сущность, обладающая способностью отражать противоположности. Мы не можем удержать ее или представить себе подобно четкому отражению формы в зеркале. Но когда форма исчезает, исчезает также и отражение. То же самое и с сознанием. Оно отражает предмет. Это один уровень, одна природа сознания. Для такой медитации не нужно сильное религиозное рвение. Просто думайте об этом ежедневно, и вы почувствуете улучшение.

Однако здесь нашей целью является бодхичитта, альтруизм, вернее сказать, особый вид альтруизма, понимание пустоты, *шуньяты*. Он также подготавливает вас к божественной йоге. Получив инициацию, — а действительной практикой тантраяны является божественная йога, — человек визуализирует себя в виде божеств, что является основанием для божественной йоги.

Р.М.: *Вы говорите, что мы движемся по направлению к бодхичитте, к высокой правде, используя божества в качестве инструмента для их достижения. Всегда ли при переходе на более высокий уровень необходимы промежуточные символы?*

Е.С.: К некоторым людям приходит спонтанное осознание. Это возможно в случае с исключительными практиками. Говорят, к таким людям осознание и освобождение приходят одновременно. Возьмем в качестве примера медитацию бодхичитты. Казалось бы, что прогресс зависит от добродетелей человека. Например, два или три человека следуют одним и тем же учениям, стараются достичь одной и той же цели. Они обладают одинаковым уровнем знания. Хотя возможности одинаковы — результаты различны. За короткое время у одного из них поменялось внутреннее отношение; двое других меняются очень медленно, несмотря на одинаковые обстоятельства.

Знание и опыт — это разные вещи, не так ли? Знание можно обрести через объяснение, чтение и размышления. Но мы верим, что для того, чтобы получить надлежащий опыт, необходимо обладать заслугами и добродетелями. Для человека, обладающего многочисленными заслугами и большой доблестью, приобретенной в прошлых жизнях или в этой, все просто. Добродетель возникает, заслуги возрастают через такую жертву. Это подготовка. Когда начинаешь практиковать медитацию, все становится легче. Это один из способов.

Как уже говорилось, это правда, что божественную йогу называют условной, или искусственной йогой. Достигнуть спонтанной йоги можно через практику условной йоги.

Р.М.: *Но есть ли в этом необходимость?*

Е.С.: Для того чтобы достичь спонтанной и не-условной йоги, человек должен пройти через процесс и стадии условной, искусственной йоги. Именно поэтому Будда разъяснял, что условная, или искусственная, йога — это ладья, на которой можно пересечь реку. В лодку нужно заходить не только затем, чтобы покататься на ней, но и чтобы добраться до другого берега. Добравшись до берега спонтанной йоги, вы можете оставить искусственную позади. В этой связи один тибетский учитель сказал, что хотя раньше или позже лодку придется покинуть, этому придет время тогда, когда вы доберетесь до другого берега, а не тогда, когда вы еще находитесь на этом берегу; но это полностью зависит от индивидуального опыта.

Согласно некоторым буддистским традициям это возможно только с помощью непосредственного исследования. Однако это не исследование, не так ли?

Это своего рода непосредственный опыт очищения сознания. Согласно этой традиции мы используем концептуальную мысль, когда начинаем исследовать. Правильный способ это делать — избегая волнения сознания, основного сознания, особого рода одновременность, исключительный опыт. Это достаточно сложно. Мы говорим, что это очень простой, очень действенный непосредственный подход. Однако действительный опыт очень сложен, хотя мой личной опыт по-прежнему остается ограниченным. Это очень непросто.

Когда человек обладает таким опытом, в эти яркие, очень четкие мгновения он вспоминает события прошлой жизни — и не одной прожитой жизни, но сотен жизней. Когда всплывают такие воспоминания, на поверхность выходит опыт тончайшего сознания.

Иногда такие состояния сознания возникают после великих жертв, многих лет служения, например, после ста тысяч поклонов, ста тысяч мандал или ста тысяч раз произнесенной стослоговой мантры. Религиозная вера — очень тяжелый труд, а спонтанный опыт возникает в особых случаях. Хотя прямой опыт — это действительная цель, ничего не произойдет, если к нему очень тщательно не подготовиться.

Р.М.: *Почему необходимо визуализировать растворение божеств в шуньяте?*

Е.С.: Это необходимо, так как нужно видеть божество, само сознание, которое постигает пустоту, кажущуюся божеством. Это помогает научиться рассматривать все как проявление пустоты. Это относится к пустоте, или неотъемлемому существованию. Сама внешняя форма пустоты, сознание, которое видит пустоту, должна представляться божеством.

Р.М.: На уровне зрительного сознания кажется, что это божества в своей обычной форме. Не противоречит ли это осознанию пустоты, которая является не чем иным, как так называемым освобождением?

Е.С.: Хотя на уровне нашего чувственного сознания мы воспринимаем просто внешнюю форму, сейчас мы говорим о восприятии его внешнего вида в чистой природе, в его божественной форме на уровне ментального сознания, потому что факторы, от которых нужно избавиться с помощью тренировки на стадии генерирования, — это обычные внешние признаки и обычные восприятия. Однако то, что нам кажется, — это не то, что есть на нашем уровне чувственного сознания, что в любом случае невозможно предотвратить. Мы говорим об обыденности явлений на уровне ментального сознания.

Как мы уже ранее говорили о медитации саматы, мы развиваем одноточечность не на уровне нашего чувственного сознания, а на уровне ментального сознания. Это делается через ментальное сознание. Неважно, что мы видим своими собственными глазами — если мы попытаемся получить изображение или что-то еще, мы можем получить это изображение в ментальном сознании.

НИРВАНА/МОКША

Р.М.: *Ваше Святейшество, понятие нирваны всегда было самым уникальным, неповторимой жемчужиной буддизма как философской школы. Также она стала смыслом того, что мы называем просветление, легендой о Будде и ее расхождением с традиционной концепцией Бога. Не могли бы вы разъяснить нам, что означает нирвана?*

Е.С.: Согласно объяснениям буддизма существа не происходят из чистого источника, свободного от всех заблуждений. Как мы уже говорили, невежество не имеет начала, страдание также не имеет начала, и самсара, циклическое существование, не имеет начала. Достижение нирваны означает переход индивидуума в такое состояние, когда его сознание свободно от заблуждения, и это состояние называется освобождение.

Наконец, нирвана объясняется с точки зрения пустоты. Это — прекращение страданий, коими является действительность, расширение явлений, в котором все эти заблуждения очищаются. Это не просто пустота, но та самая пустота сознания, свободного от заблуждений. Эта пустота — как качество быть пустотой, как *самсара*, которая также является природой пустоты. В этом отношении разницы между *самсарой* и *нирваной* не существует.

Р.М.: *Нирвана — это неотъемлемое состояние, ожидание открытий или конечного потенциала?*

Е.С.: Когда мы говорим о заблуждениях, или ошибках сознания, которые временны, мы подразумеваем возможность освобождения от них. У нас есть такой потенциал, однако в нас самих нет нирваны.

В «*праманавартике*» Дхармакирти говорит, что просто наличие конечной причины потребовало бы результата или доказательств. Когда мы говорим, что на травинке сидит насекомое, у которого есть кармический потенциал родиться снова сто раз в виде слона, нам бы также пришлось сказать, что на этой травинке — сто слонов.

Природа будды — это потенциал, который есть в сознании каждого и который при соответствующих обстоятельствах может полностью реализоваться, однако это не сам Будда.

Путь, свобода нирваны от неотъемлемого существования — эта природа есть в нас. По крайней мере, такой потенциал существует в нашем сознании. И не только потенциал, там есть вещь, там есть мы. Естественно, он существует благодаря какому-то другому фактору. Независимого существования нет. Отсутствие независимого существования — это конечная природа, *шуньята; шуньята* есть там. Явления, которые зависят от других факторов, лишены независимого «я». Следовательно, все они — части пустоты. Мы все являемся частью пустоты и обладаем потенциалом для достижения конечного состояния осознания — нирваны.

Р.М.: *Находясь в состоянии нирваны, реагируем ли мы каким-то образом на явления?*

Е.С.: По-прежнему остается разделение плохого и хорошего, отрицательного и положительного. И соответственно мы чувствуем, что это — плохое, а это — хорошее. Просветление — высшая форма, в котором не может быть даже видимости действительного существования.

Однажды — кажется, это было в конце шестидесятых или начале семидесятых — я достаточно долго медитировал о *шуньяте*. Как-то я нашел учение Дзонгкапы, в котором он говорит: «Набор составных частей не является «я», протяженность всех составных частей также не является «я». Когда я прочел это утверждение, я почувствовал страх. На самом деле это объясняло суть учения индийского учителя Нагарьюны, в котором говорится:

Человек — это не часть земли,
Не часть воды, не часть огня,
Не элемент ветра.
В то же время, нет человека,
Который существовал бы отдельно от них.

Также говорится, что, если искать это аналитическим способом, это невозможно будет найти. Я обрел некоторое понимание, или осознание, и за следующие несколько дней у меня появилось другое отношение к различным вещам.

Р.М.: *Как бы Вы определили понятие нирваны, или просветления, для западного сознания, которое склонно рассматривать материю, которую Вы называете иллюзорной, в качестве первичного источника существования, определяемого и доказуемого?*

Е.С.: На Западе много знают о материи, однако западное знание о сознании очень ограниченно. Оно находится на начальной стадии. Без глубокого знания о сознании под вопросом оказывается даже всестороннее знание о материи. В любом случае, знание приобретается не всеми чувствующими существами в целом, но человеческими существами, и главная цель получения знаний — принести пользу человечеству. Если это так, очень важно обладать гармоничным знанием, знанием о внутреннем опыте и знанием, получаемым через него, и знанием о материи, так как они идут рядом. Если мы будем использовать такой гармоничный подход, это все меняет, мы не утратим отличительные черты и особенности человеческого существа.

Но если мы будем подходить к научному исследованию однобоко и не принимать во внимание внутреннее сознание, это означает, что ученые автоматически отрицают чувственный опыт; автоматически что-то опровергают.

Если весь наш подход будет основан только на материальной стороне и полностью будет игнорировать сознание, не будет никакого разграничения между справедливостью и несправедливостью, добром и злом. Я полагаю, западное общество уделяет слишком большое внимание материальному развитию. Вся человеческая энергия тратится на материю, а сознание отрицается. Это приведет к неприятным последствиям. Баланс сделал бы общество более счастливым. Думаю, что обсуждение или изучение сознания — это не только вопрос религии, это также имеет значение для технического знания, общечеловеческого знания. Полагаю, что этот вопрос очень важен. В этом отношении у восточной философии — в особенности философии буддизма — есть что предложить Западу.

Р.М.: *Если бы Вы могли разделить путь к нирване на несколько этапов, как бы Вы определили первый из них?*

Е.С.: Для того чтобы достичь освобождения, прежде всего у человека должно быть сильное желание его достичь. В *Четырех сотнях строф* Арьядевы говорится, что для того, кто не изменил отношения к мирскому, достичь освобождения невозможно. Следовательно, необходимо определить страдание и размышлять о нем. Главное страдание, о котором мы говорим, — страдание условия.

Наши составные части непостоянны, то есть подвержены переменам. Они являются продуктом причины; и в этом случае причина относится к «нечистым» поступкам, которые мы совершили, то есть карме, а также заблуждениям, которые вызывали их. Так как форма — это продукт такого непостоянства, это природа страдания.

Есть множество способов рассматривать страдание рождения. До рождения, после прекращения промежуточного состояния и возникновения в ясном свете, каких-либо явных страданий нет, а все чувства сбалансированы. В момент зачатия начинается процесс физического развития. Форма все больше увеличивается, и на определенном этапе существо начинает испытывать удовольствие и боль и т.д. Во время самого рождения начинается настоящее страдание. Начиная с этого момента и до определенного времени мы так же беспомощны, как личинка насекомого. Вот так начинается наша жизнь.

Если подходить разумно, наше тело — это не то, о чем стоит сильно заботиться или за что нужно держаться. Его содержание нечисто. Само тело нечисто и является продуктом нечистых тел. Причина этого тела — два регенеративных флюида родителей, которые также нечисты. Если говорить о продуктах тела, оно производит кал и мочу. Основное назначение тела — потреблять пищу и производить человеческие отходы. Если подумать о том, сколько пищи и питья я употребил до настоящего момента, то мне кажется, что это будет очень большое количество. Кроме того, имеется очень большое количество таких выделений, как слюна. Помимо всего с помощью этого физического тела мы обманываем, плохо обращаемся с людьми, создаем неприятности — вот какова ценность жизни! Если подумать, жизнь очень печальна. Неважно, насколько красиво и сильно тело. То, из чего оно на самом деле состоит — кожа, плоть и т.д., — не обладает красотой, оно нечисто. Никто не считает уборную чем-то чистым, не так ли? Но в действительности тело человека похоже на уборную. То, что находится внутри нас, не берется ниоткуда, это все идет от тела. Так зачем испытывать к нему привязанность? Само по себе оно не имеет ничего священного.

К счастью, вместе с этим телом у нас есть человеческое сознание. Мы имеем возможность думать и анализировать многое, и это — единственная сто́ящая часть нас. Обладая силой рассудка, мы можем наполнить свою жизнь смыслом. Животные и насекомые могут развивать некое подобие альтруизма. Например, пчелы и муравьи — очень социальные насекомые, они обладают чувством ответственности и действуют вместе в хорошие и тяжелые времена. Такова их социальная структура. Природа человека точно такая же. Мы не можем выжить в одиночестве, нам приходится зависеть от других, нравится нам это или нет.

Р.М.: Да, я вижу, что отстраненность от физического тела — это первое осознание. Но как научить сознание изменить привязанность на альтруизм?

Е.С.: Индийские учителя разработали две основные системы тренировки и развития альтруистического отношения: метод причины и следствия из семи пунктов и обмен и уравнение себя с другими.

Первый из семи пунктов — развитие уравновешенности, то есть когда сознание пытается уравнять сильную привязанность к друзьям, сильную ненависть к врагам и безразличное отношение к нейтральным людям. Второй этап — вспоминание наших собственных перерождений, не имеющих начала, таким образом, чтобы мы могли осознать, что все чувствующие существа когда-то были нашими матерями, друзьями или родственниками. Третий — осознав это, мы вспоминаем и размышляем обо всем хорошем, что они нам дали. Следующий шаг — отплатить за их добро, размышляя о том, как наша мать в этой жизни дарит нам свою доброту и как другие родители дарят свою доброту своим детям. Затем идет этап любящей доброты. Это состояние, в котором сознание заботится обо всех чувствующих существах. Развив такую любящую доброту ко всем чувствующим существам, мы желаем, чтобы все чувствующие существа освободились от страдания. Это и есть сострадание.

Затем необходимо взять на себя ответственность за освобождение всех чувствующих существ от страдания, а последним этапом является *бодхичитта*, альтруистическое отношение, необходимое для того, чтобы достичь просветления. Это испытывается отчасти силой нашего сострадания ко всем чувствующим существам, ощущением невозможности видеть их страдания и отчасти с помощью понимания, что сознанию чувствующего существа дана возможность освободиться от заблуждений. Все чувствующие существа обладают потенциалом для достижения освобожденного состояния. Понимание этого вкупе с сильным состраданием вызывает *бодхичитту*. Такова система причины и следствия из семи пунктов.

Другая система также учит равенству, однако иным способом. Все чувствующие существа равны в своем стремлении к счастью и желании избавиться от страданий. Знать это означает уравнивать себя с другими. Далее идет рассуждение о недостатках заботы только о себе. Хотя человек эгоистичен потому, что он хочет для себя счастья, все, что он в итоге приобретает, —

это множество врагов и мало друзей. С другой стороны, если мы будем заботиться о других вместо того, чтобы заботиться о себе, результат будет совершенно противоположным — больше друзей и меньше врагов. Короче говоря, как Шантидева говорил в «Бодхичарья-аватаре», что все печали, которые есть в этом мире, — это результат эгоистичной мысли, а все счастье — результат заботы о других. Это отражение недостатков заботы о себе и преимуществ заботы о других. Так человек обменивает себя на других. Следующий шаг — умение давать и брать, а затем следует развитие самой бодхичитты.

В наши дни, начиная развивать *бодхичитту*, мы сочетаем эти две системы. Сперва мы развиваем чувство равенства, которое объяснялось в первом пункте метода причины и следствия из семи пунктов. Затем мы признаем чувствующих существ своими матерями. Затем мы вспоминаем их добро. Такое отношение — специальное воспоминание о доброте — не разделяет друзей и врагов, и даже враги считаются очень добрыми. Все очень просто.

Для того чтобы развить истинный альтруизм, необходимо сдерживать гнев и ненависть, а чтобы это осуществить, нужно соблюдать терпение и толерантность, поскольку иначе контролировать гнев невозможно. Для развития терпения и толерантности вам нужен враг. Не имея врага, невозможно развить в себе эти качества. В этом все дело. Если вы размышляете таким образом, вы действительно делаете врага полезным себе независимо от его мотивации. В моей жизни враги мне очень помогли. Когда человек может увидеть в своем враге доброго человека, который вам помогает, не возникает проблемы в том, чтобы увидеть его так, как вы его видели раньше, то есть как врага. Наш враг — наша преграда. Когда мы сосредоточены на этом препятствии — враг и все остальное становится очень простым.

Р.М.: *Считать своего врага учителем — это действительно высший уровень альтруизма. Как нужно контролировать чрезмерную эгоистичность заблуждающегося сознания, чтобы оно прежде всего начало ценить альтруизм?*

Е.С.: Все мирские желания, такие как голод, стремление к богатству, здоровье, зависят от доброты других. Их исполнение зависит от других людей. Даже возможность для нас с вами встретиться здесь и то, что мы ведем такую милую беседу, — все это было создано многими другими людьми — теми, кто построил этот дом, выткал ковры, вел автобус, на котором мы приехали. Благодаря всем этим факторам мы сейчас здесь вместе с вами. Без этого у нас не было бы возможности встретиться. Здесь задействованы знакомые и незнакомые люди, и без них наша встреча не смогла бы состояться. Задумайтесь об этом, и вы убедитесь, что без помощи других мы не можем существовать. Также подумайте о карме, и шанс иметь такую возможность — это результат наших собственных добродетельных поступков, совершенных в прошлом. Подумайте о том, что имеется в виду под доблестной кармой. Это означает, что мы что-то сделали с мотивацией помочь другим. Так, даже для накопления доблестной кармы необходимы другие люди.

Р.М.: *Ваше Святейшество, буддизм как религия и Вы, в частности, обладаете бодхичиттой как лучшим путем к освобождению. Почему это так?*

Е.С.: Из всех практик буддизма бодхичитта считается самой ценной. Бодхичитта коренится в сострадании. Без страдающих чувствующих существ мы не можем развить в себе сострадание. Мы не можем развить сострадание, сосредоточившись на Будде. Сострадание можно развить, только уделяя внимание страдающим чувствующим существам. Непосредственная причина бодхичитты возможна только при сосредоточении на чувствующих существах. Мы можем получить благословение Будды за развитие бодхичитты. С ней мы находим, что чувствующие существа добрее Будды. Другим чувствующим существам необязательно иметь хорошую мотивацию с их стороны. То, что мы считаем ценным, например прекращение страданий, не обладает хорошей мотивацией, однако мы к этому относимся бережно и ценим. Это — особые размышления о доброте.

Дальше идет возвращение доброты, а затем — любящая доброта, которая ценит доброту чувствующих существ. Затем идет размышление об уравнивании себя с другими, размышление о недостатках эгоистичного отношения и преимуществах заботы о других. И наконец, обмен себя и других, практика отдачи, особое внимание уделяется практике сострадания, отдачи и любви.

Затем следует необычное отношение к ответственности за освобождение всех чувствующих существ от страданий. *Бодхичитта,* вызываемая таким необычным отношением, имеет большую силу. Это практика, сочетающая две системы. Эта полезная и эффективная практика придает внутреннюю силу, спокойствие и горячее сердце. Такое отношение — настоящая защита для нас. Даже небольшой опыт, через который вы проходите благодаря этой практике, дает вам внутреннее спокойствие и силу.

Р.М.: Значит, бодхичитта как центральное учение буддизма — это лучшая гарантия спокойствия и более гуманного мира?

Е.С.: Да. Нет ничего страшного в том, что некоторые люди не приемлют существование следующей жизни и нирваны, если они остаются добропорядочными членами общества. Им тоже нужно практиковать эти вещи, потому что это приносит пользу для сознания. Это первый шаг к развитию истинного мира на земле. Вечный мир невозможен без внутреннего спокойствия — это поистине глубокое учение и совет. Для практикующего бодхисаттву все чувствующие существа являются его друзьями, а то, что его окружает, помогает ему. Его настоящие враги — его собственное эгоистичное отношение и искаженные взгляды. Когда человек практикует подобным образом, он не полностью свободен от страха. Однако, по крайней мере на уровне сознания, человек получает спокойствие и освобождается от страха. Именно так нужно развивать надежду достичь освобождения и всеведущего состояния.

Р.М.: *Ваше Святейшество, как в буддистской традиции объясняется и понимается мистический опыт?*

Е.С.: Даже истинный практик может иметь разнообразный мистический опыт. На начальном этапе на этот опыт совершенно нельзя положиться. Поэтому, если человек испытывает слишком большую привязанность или считает такой опыт очень важным, это совершенно неправильно. Здесь кроется большая опасность. Чем больше вы развиваете свое сознание через практику, то, что для вас будет всего лишь проявлением или отражением вашего внутреннего опыта, обычным людям будет казаться мистическим. Поэтому, думаю, нам необходимо проводить разграничение.

Р.М.: *Ваше Святейшество, «нирвана», «мокша», «просветление» — эти слова вошли во всеобщее употребление, и все же их значение далеко не всем понятно. Например, что происходит с сознанием в этих состояниях?*

Е.С.: Согласно философии буддизма, когда человек, или «я», существует, есть и сознание, вплоть до момента просветления. На стадии будды также присутствует личность индивидуума. Согласно другой философской школе, высочайшим состоянием является такое состояние, в котором человек перестает существовать и вместе с ним прекращает свое существование сознание. Если это правда, я бы не хотел достигать *нирваны*, потому что такое состояние не кажется мне чем-то хорошим, а предпочел бы эту жизнь состоянию, в котором нет никаких ощущений.

Например, согласно ваибхашике (одной из школ буддизма) махапаринирвана — это не только состояние свободы от всех заблуждений, но и свободы от самого сознания. Нет никакой продолжительности сознания. Согласно этой школе Будда Шакьямуни — всего лишь историческая личность. Он больше не существует. Нагарьюна оспаривал такое мнение, утверждая, что если конечная нирвана также свободна от сознания, тогда где личность, актуализирующая это состояние? Нам приходится поверить, приходится согласиться, что кто-то достигает этого состояния нирваны. Должна быть личность, достигающая его. Если мы говорим, что нирвана, или освобождение, — это состояние полной свободы от заблуждений, это не означает, что само сознание также прекратило свое существование. Здесь есть нечто положительное, правда? Если бы мы достигли такой нирваны, мы стали бы счастливы, не так ли? Но если бы нирвана была ничем, если все прервалось, мы бы предпочли не достигать ее, ведь так?

Р.М.: *Нирвана — это состояние отсутствия чувства или состояние иного чувства?*

Е.С.: О да, иного чувства.

Р.М.: *Чем оно отличается?*

Е.С.: Думаю, сложно сказать, давайте сначала я его достигну... *(смеется)*. В основном, конечно, осознанием. Полностью меняется все отношение к явлениям. Сейчас у нас есть гнев, привязанность и все отрицательные мысли и эмоции. Со своими отрицательными мыслями мы не можем видеть и осознавать действительную реальность. Мы видим все в разных цветах. Из-за невежества, цепляния за действительное существование все представляется нам так, как если бы оно существовало само по себе — здесь есть также эта сильная, твердая видимость. Когда мы достигаем нирваны, эти отрицательные, искаженные мысли полностью очищаются, и в результате отношение ко всем явлениям становится другим.

Р.М.: *Ваше Святейшество, Будда не ответил на некоторые вопросы, потому что он был всезнающим. Вы не ответили на мой вопрос о возможности чувствования нашего пути к нирване. Причина была той же самой?*

Е.С.: Я не понял этот вопрос не потому, что я всезнающий, но потому, что у меня недостаточно знаний.

ПОЛИТИКА КОНФЛИКТА И РЕЛИГИЯ

Р.М.: *Ваше Святейшество, Вы считаете себя больше политическим или религиозным лидером?*

Е.С.: Я считаю и всегда считал себя простым буддистским монахом. Думаю, по своей природе я близок более всего духовному практику. Начиная с рождения я не верил, что обладаю качествами, необходимыми для того, чтобы быть лидером. Я так не думаю! Мне кажется, что в особенности современная политика отличается излишней вежливостью. Иногда мне действительно становится скучно. Мне нравится забавляться и говорить прямо и дружелюбно.

Р.М.: *Будучи духовным учителем, который также вовлечен в политику, какое соотношение вы считаете идеальным для двух ваших половинок?*

Е.С.: Свобода Тибета очень тесно соотносится с буддистской дхармой; лично я считаю свое участие в борьбе за свободу частью своей духовной практики, так как оно непосредственно приносит пользу большому количеству людей. С буддистской точки зрения это важно не только в этой жизни, но и для той, которая будет после нее. На самом деле совершенно ясно, что тибетская свобода не означает только свободу политическую, но также и свободу духовной практики и духовных учений. Поэтому я часто говорю своим буддистским друзьям на Западе: «Вы обладаете большими знаниями о буддистской дхарме и искренне практикуете ее. Однако без Тибета следующие одно или два поколения не смогут иметь полную буддистскую дхарму, которую мы традиционно храним». Будем надеяться, что через несколько поколений все может измениться, следовательно, вопрос о существовании на этой планете буддистской дхармы в полной форме зависит от свободы Тибета.

Я всегда верил, что в религии необходим плюрализм. Это самое главное. Участвуя в национальной борьбе за свободу, я всегда пропагандирую идею плюрализма, плюралистическое отношение к религии. За последние три-четыре века несколько тысяч мусульман и сто тысяч христиан жили в Тибете, и, как мне кажется, гармония, основанная на взаимном понимании и уважении, начинает принимать надлежащую форму.

Р.М.: *Как Вы миритесь с таким количеством конфликтов и войн во имя религии?*

Е.С.: Это очень грустно. Я думаю, это создает отрицательное впечатление обо всех религиях мира. Однако я действительно верю, что в наше время, в век технологий, ценность религиозный традиций по-прежнему существует. Также я вижу, что ценность различных религиозных традиций не изменилась. На самом деле, я верю, что с увеличением материального прогресса ограничения материалистических ценностей также станут все более ясными. В таких обстоятельствах ценность духовности также возрастет и станет более важной. Следовательно, мы можем извлечь пользу из всех полезных посылов и методов различных религиозных традиций. Говоря это, я хотел бы подчеркнуть, что очень прискорбно, когда совершаются убийства во имя религии.

Р.М.: *Сегодня многие обвиняют политизацию религии за неистовое насилие и нетерпимость, и вопрос состоит в том, должна ли политика смешиваться с религией. Каково Ваше мнение?*

Е.С.: Полагаю, это нельзя смешивать. Политические институты и религиозные институты должны быть разделены. Будет безопаснее, если они будут разделены;

и все же сочетание религиозной и светской работы может происходить одновременно. Исходя из своего опыта общения с официальными лицами, я вижу, как можно нанести им ущерб или помочь, и знаю, что должен быть осторожен и делать то, что будет правильным по дхарме. Религиозная вера помогает оставаться честным. Более того, тот практический опыт, который я получаю, приносит мне пользу и в религии. Я не знаю, что ждет меня в будущем, однако на данный момент двойная ответственность очень мне помогает.

Какое-то время тому назад я был на семинаре в Индии. Некоторые политики говорили: «Мы политики, мы не религиозны». Одни говорили это скромно, другие рисовались. Я шутливо сказал: «Политики должны быть религиозны, так как то, что в их сознании, оказывает влияние на тех людей, которым они служат. С другой стороны, если религиозные люди останутся в одиночестве в горах и их сознание будет искажено, это не столько важно, так как они не окажут влияния на людей».

Если образ мыслей будет правильным, то даже война станет менее разрушительной. Это как пять пальцев на руке, когда каждый палец имеет собственные возможности и функцию, однако без кисти каждый из них бесполезен. Так же и любая человеческая деятельность — религия, наука, экономика и образование, совершаемая с искренней мотивацией и человеческой любовью, может быть положительна. И политика — не исключение.

Что, в конце концов, есть политика? Политика — это необязательно обман или запугивание. Скорее, думаю, есть некое точное значение. Это еще один вид человеческой деятельности или еще один инструмент служения обществу, сообществу или нации. Видите ли, в ней самой по себе нет ничего дурного, однако многое зависит от людей — мотивации или поведения тех, кто ею занимается. Даже в области религии, если мотивация неискренняя, религия теряет свою чистоту. С другой стороны, когда отдельная личность в политике действует с искренней мотивацией, это является частью религиозной практики. Таким образом, с моей точки зрения, каждый человеческий поступок, совершенный с искренней, честной мотивацией, может рассматриваться в качестве духовной деятельности.

Когда дхарма становится личным образом жизни, независимо от того, чем занимается человек — политикой или религией, это работает на благо других людей.

Р.М.: Однако, если заниматься и тем, и другим, по Вашему мнению, не увеличивается ли риск коммунализма? Что значит — быть действительно мирянином?

Е.С.: Религия должна объясняться на основании мотивации, которая есть у человека. С этой точки зрения мы видим пользу религии во многих областях человеческого общества.

Если бы политикой занимались верующие люди, возможно, она была бы более здоровой. В таком случае не возникает никаких проблем, и политику, и религию можно объединить. Однако в случае с религиозными институтами (не религией, а именно институтами) человек, работающий и в религиозных институтах, и в политике, может создать отрицательное влияние.

Будучи буддистским монахом, я верю, что конечная важная вещь — это мотивация, искренняя мотивация. Необходимо думать об общем интересе, а не о своем собственном. Правильно думать о благе большинства. Так должен думать человек. Мы являемся социальными существами. Наше собственное будущее и процветание зависят от других человеческих существ. Такие понятия, как современная экономика и глобализация показывают, что все взаимозависимо. Следовательно, такие понятия, как «мы» и «они», больше не имеют значения. Все человечество, весь мир является частью тебя самого. Я думаю, что это — реальность. Должно быть чувство заботы о других. Правильно думать о природе человечества и природе мира. Это самая главная мотивация... с такой мотивацией обучайте религии, занимайтесь политикой, проводите научные исследования или развивайте экономику... каждый человеческий поступок управляется такой мотивацией. Только в этом случае человеческий поступок может быть положительным.

Р.М.: *Ваше Святейшество, в Индии очень обеспокоены непрекращающимся насилием в Кашмире и будущим индо-пакистанских отношений. Во всем мире* *есть конфликты — в Боснии, Ливане, на Среднем Востоке и т.д. Где, по-Вашему, можно найти решения таких конфликтов?*

Е.С.: Очень сложно! Не могу дать однозначный ответ. Конечно, я действительно озабочен страданиями людей от конфликтов в Боснии, на Востоке, в Западной Африке и Кашмире; они ужасны. Я испытываю скорбь из-за кашмирской проблемы в Индии. Я впервые приехал в Индию в 1959 году, будучи беженцем, и, когда я размышляю об опыте того времени, сознаю, что там был истинный мир, когда традиции ахимсы были еще живы. Теперь я иногда говорю своим индийским друзьям в шутку: «На протяжении веков вы хранили *ахимсу* в качестве своей философии. Теперь вы экспортируете эти ценности, и слишком большой экспорт привел к ее уменьшению в вашей собственной стране».

Я приехал в Индию, когда мне было четырнадцать лет, а лучшим периодом жизни считается период от двадцати пяти до пятидесяти девяти лет, поэтому, естественно, я очень озабочен тем, что здесь происходит. Нам всем необходимы долгосрочные планы и решения. Иногда краткосрочные методы могут показаться неприемлемыми, однако, возможно, следует пережить временное ради долгосрочного блага. Просто мне кажется очень грустным то, что мы утратили веками накопленный опыт старинной философии *ахимсы*. Это прискорбно.

ВСЕОБЩАЯ ОТВЕТСТВЕННОСТЬ

Р.М.: *Благодаря своей философии ВСЕОБЩЕЙ ответственности Вы внесли значительный вклад в светский диалог, что было отмечено Нобелевским комитетом. Не могли бы Вы разъяснить для нас свою философию?*

Е.С.: В древности некоторые религиозные учения говорили, что нужно развивать или практиковать альтруизм. Прежде я сказал бы, хорошо это или нет, если вы обладаете альтруистическим отношением. Сегодня я чувствую, что обстоятельства совершенно изменились, так как мир — благодаря технологиям, а также населению — стал намного меньше. Некоторые события происходят на одном конце света, а их отголоски слышны на другом. Мы сильно зависим друг от друга.

В области экономики и охраны окружающей среды страны также в значительной мере зависят друг от друга. Понятия «мы» и «они» устарели. Нужно рассматривать весь мир как «мы». Однако действительность такова, что из-за нехватки информации и аналитической медитации этого не произошло. Мы по-прежнему верим в сегрегацию. Я чувствую, что многие проблемы возникают из-за такой ограниченности и недальновидности.

Например, сейчас мы стоим перед серьезной мировой экологической проблемой, и неважно, насколько могущественна одна или несколько наций, вопрос не решится без совместных усилий или общей позиции. В современной экономике не существует национальных границ, и в некоторых областях, таких как здоровье или образование, унификация уже существует. Мой собственный интерес, мое собственное будущее и будущее моей нации во многом связано с другими людьми. Однако в своих мыслях люди по-прежнему озабочены «моей» нацией, «моей национальностью», «моими национальными границами». Действительность изменилась, но наши идеи остались прежними. Они даже не стали ближе к действительности, и это первопричина проблем.

Совершенно ясно, что для пяти миллиардов людей эта маленькая планета — наша единственная надежда, и все мы должны принять на себя ответственность за ее сохранность. Думаю, нам необходимо чувство «глобальной» и «универсальной ответственности». Когда это будет так, то наши другие, меньшие проблемы — экономические, религиозные или культурные — будет намного легче решить. Я являюсь сторонником такой практики и поддержания такого духа.

Лекарство состоит в том, чтобы соответствовать этой действительности. Гуманистическое отношение должно развиваться, изменяться и охватывать реальность. Нам необходимо чувство глобальной ответственности, чувство универсальной ответственности. С ним мы сможем решить многие проблемы, созданные человеком, или, по крайней мере, свести их к минимуму. Думаю, логика довольно проста! Видите ли, мой интерес во многом зависит от интересов других. Пока я не буду заботиться об интересах других, я не получу никакой выгоды. Если я буду игнорировать интересы других, в итоге проиграю и буду страдать. Если мы будем больше заботиться о правах и интересах других, мы все выиграем в конечном счете.

Р.М.: *Почему это так?*

Е.С.: Очень просто! Сейчас на планете около 5,7 миллиарда людей. На самом деле большинство из них не являются подлинно верующими. Конечно, люди говорят: «Я принадлежу, или моя семья принадлежит такой-то традиции или традициям», однако в повседневной жизни они необязательно являются верующими.

Таким образом, большинство людей — неверующие, и в то же самое время большинство — это очень важная часть человечества. Когда ребенок рождается в семье, исповедующей какую-либо религию, он рождается *без* веры. Даже если родители соблюдают ритуалы, ребенок не испытывает какого-либо чувства или восхищения в отношении этих действий. *Сознание ребенка свободно от веры и живет с человеческой любовью и заботой. Физическое прикосновение матери, материнское молоко* — вот то, что нужно ребенку. Все это — очень сильные проявления любви, человеческой любви. Без них ребенок не может существовать. Следовательно, я думаю, что люди, начиная от самого рождения, не свободны от человеческой любви.

Р.М.: *Это — основа вашей концепции мирской духовности?*

Е.С.: Совершенно верно. Я полагаю, что основная человеческая природа — это доброта, основанная на такого рода человеческой привязанности. Если наше сознание остается спокойным, сострадательным и отзывчивым, мы находимся в здравии. Если есть постоянные беспокойство, гнев, тревога и ненависть — все это отрицательно отражается на сознании и в конце концов истощает наше здоровье. Это видно в самой природе тела. Это совместимо с мирным сознанием, сострадательным сознанием, но никак не с возбужденным сознанием. Намного лучше выполнять нашу работу с добротой и любовью, и я верю, что природа — сущность каждого человеческого существа. Мы испытываем эту природу, начиная с самого рождения, но, думаю, что по мере того, как мы взрослеем, мы уделяем большее значение мозгу и интеллектуальной стороне нашей природы и пренебрегаем нашим основным человеческим качеством. Как следствие, мозг истощает нашу хорошую природу, и, думаю, именно по этой причине мы испытываем столько проблем в этом мире.

Только в одном двадцатом веке мы предпринимали различные методы, которые в основном зависели от механизмов, и это сказывается на природе человека. Пришло время вернуться к нашим основным человеческим качествам, основной человеческой природе. Мы продолжаем пропагандировать интеллектуальную сторону нашей природы, однако должны развивать добродетельные человеческие качества. Мы должны попытаться увидеть, что человеческий мозг и человеческое сердце работают в гармонии. Таково мое понимание мирской этики.

Р.М.: *Понятие чувствующих существ является центральным в буддизме. Вы вывели его на международную арену и предположили, что у всех чувствующих существ должны быть права. Не могли бы Вы пояснить?*

Е.С.: Я убежден, что забота об окружающей среде на нашей планете — то же самое, что забота о своем собственном будущем. Эта планета — наш дом, и все ученые надеются в будущем исследовать другие планеты, например Марс, и построить там жилища. Конечно, может быть, это возможно; однако эта голубая планета — наш единственный дом. Мы должны предпринимать шаги по ее защите и каждого живого создания и существа, которое живет на ней.

Неправильно эксплуатировать окружающую среду с целью получения денег, пренебрегая ее естественной красотой и гармонией. Это глупое, ограниченное видение, ведущее в будущем к разрушению. Мы должны признать общую «жизнь» всех чувствующих существ и развить отношение, показывающее одинаковое отношение ко всем аспектам окружающей среды, которое мы будем демонстрировать своим собственным семьям. Если мы не будем принимать во внимание нужды и чувства этих живущих чувствующих существ, наше сознание также будет отрицательно относиться и к людям. Мы будем видеть их слабыми, никчемными и не заслуживающими уважения. Вся жизнь священна! Постепенные перемены произойдут благодаря различным влияниям. Следовательно, я думаю, что сострадание или уважение по отношению ко всем формам жизни является основой искреннего чувства сострадания или заботы о человечестве.

Р.М.: *Вы хотели бы предложить включить во Всеобщую декларацию о правах человека права, касающиеся окружающей среды и права всех чувствующих существ?*

Е.С.: Думаю, что настало время, когда мы должны попытаться развить такое отношение. Я думаю, что такой шаг просто необходим. Вопрос экологии насущно важен. Обитатели этой планеты теперь могут видеть последствия беспечности и неправомерных действий по отношению к окружающей среде. Ученые наблюдают последствия загрязнения в молоке матери и, следовательно, на новом поколении. Не просто люди, но и ученые также признают результат плохого обращения с планетой и окружающей средой. Мы должны развивать добродетель сострадания ко всему — человечеству в целом, окружающей среде, друг другу и к себе. Досадно, что люди рассматривают сострадание как нечто, не имеющее отношения к нашей повседневной жизни.

ТИБЕТ И ЕГО БУДУЩЕЕ

Р.М.: *Будучи политическим главой Тибета, не испытываете ли вы иногда разочарование от отклика международного сообщества?*

Е.С.: Да, иногда испытываю.

Р.М.: *И что расстраивает Вас больше всего?*

Е.С.: На одном уровне я часто чувствую разочарование из-за того, что, несмотря на сочувствие и понимание, иногда людям сложно выразить свои чувства. Иногда я испытываю большое разочарование, потому что не могу выразить всю глубину чувства, которое живет в сердцах тибетцев, но потом думаю, что нужно посмотреть на это с другой точки зрения. Тибет ведет борьбу уже более сорока лет. Во-вторых, Китай — могущественная держава с экономической точки зрения, и люди хотят остаться с ней в хороших отношениях.

Мы — слабая нация, но наша сила — в правде. Такая позиция создает непростые обстоятельства. И все же, несмотря на эти преимущества и недостатки, мы получаем большую поддержку, что очень нам помогает. Таким образом, когда я смотрю на вещи с этой точки зрения, я чувствую надежду, утешение и вдохновение.

Я чувствую, что, возможно, больше печалюсь из-за предыдущих поколений, так как много раз они упускали шанс или не воспользовались благоприятными возможностями. Они совершили ошибки, и вот результат — мое бремя.

Р.М.: Что это за ошибки, о которых вы говорите?

Е.С.: К примеру, в конце 1940-х годов, когда Индия была готова к независимости, туда отправилась делегация для встречи с Ганди. После этого, когда страна получила независимость, тибетское правительство должно было послать специальную делегацию во главе с нашим регентом, несмотря на его преклонный возраст, а затем наш молодой далай-лама должен был сопровождать его. Они должны были воспользоваться возможностью встретить Ганди и установить взаимное тесное понимание с новой, независимой и молодой нацией — исторически как отца и сына, или как гуру и *чела*. Мы — ученики, а вы, индийцы, наши гуру. Они должны были прояснить эти исторические связи с новой независимой нацией, и в особенности с Ганди. Ганди, конечно, был великим политиком, политиком с очень и очень сильными моральными принципами. Я всегда думал, что наш регент и наше правительство тогда упустили эту возможность.

Р.М.: Индия была удивительно щедрой в отношении тибетского сообщества и приютила почти сто пятьдесят тысяч изгнанников, дав им образование и сохранив их тибетскую культуру. Однако вы часто повторяете, что она сделала недостаточно много с политической точки зрения.

Е.С.: Да, иногда я так думаю. В конце концов Индия — не маленькая страна. Это очень большая страна! Многие века Индия оказывала значительное влияние на этот регион мира, и, конечно, у Китая и Индии долгое время была общая история и глубокая культура. Индия обладает богатым разнообразием философских учений, и сегодня, несмотря на множество преград, она является страной с твердо укоренившейся демократической системой. Думаю, в этом — настоящая сила Индии. Уверен, что меньшие нации этого региона испытывают неловкость в отношении нашего восточного соседа. Однако когда серьезные вопросы стоят так близко, многие нации, несмотря на свои различия, чувствуют близость с Индией. Индии необходимо быть более уверенной в себе.

Говоря с политической точки зрения, иногда я называю отношение Индии к Тибету чрезмерно осторожным. Тибет не был частью политики Индии в отношении Китая в течение многих десятилетий, и так будет продолжаться впредь. Однако на практике Индия много сделала для сохранения тибетской культуры, образования и т.д.

Р.М.: *Какова, по-Вашему, роль Индии в недавнем смягчении отношений между Индией и Китаем?*

Е.С.: Мне с самого начала казалось, что Китай не должен находиться в изоляции; он должен войти в общий поток мирового сообщества. Лучший и самый логический способ убеждения — это убеждение с помощью дружбы, а не враждебных действий. Я уже дал это ясно понять в Вашингтоне, Европе и Индии. Следовательно, я приветствую улучшение отношений между этими двумя огромными азиатскими нациями, двумя самыми многочисленными нациями. Я не думаю, что улучшение отношений с Китаем повлияет на отношение Индии к тибетскому сообществу.

Китай стоит на пути перемен, приближаясь к демократии и открытости, хотя и с большой осторожностью, особенно в отношении свободных выборов и средств массовой информации. Это и понятно, так как Китай — большая страна. В прошлом здесь были большие беспорядки. Если бы центральная власть вдруг ослабела, мог бы возникнуть хаос и даже кровопролитие. Это не в чьих-то интересах, даже не в интересах тибетцев. Переход должен быть мирным и постепенным.

Индия набирает обороты и силу в экономике через улучшение отношений с правительством Китая. Думаю, Индия может оказать влияние на китайских лидеров, наконец, убедить их, а реалистичная политика в отношении Тибета принесет большую пользу китайскому единству и имиджу, а также будет способствовать значительному экономическому развитию Тибета.

Последние пятнадцать лет я рассматривал тибетский вопрос как компромисс. Я не прошу полного отделения от Китая с тем, чтобы не возникал конфликт с политикой правительства Индии. В конце концов, эти две нации наиболее многочисленные, поэтому действительно хорошие отношения между ними просто необходимы, и это не только в интересах Тибета, но и Азии и всего мира в целом.

Р.М.: *В настоящем политическом сценарии что дает Вам надежду на свободу Тибета в будущем? Как и почему, по Вашему мнению, это произойдет и когда?*

Е.С.: На данный момент ситуация очень серьезная. Из-за перенаселенности Китая каждую неделю происходит мощный приток китайцев в Тибет. Это является причиной больших проблем, таких как человеческое насилие и критический урон для нашей экологии и природы. И, что еще хуже, преднамеренно или нет, имеет место культурный геноцид. Существует реальная угроза, что тибетская нация с ее уникальным культурным наследием может исчезнуть. Это очень серьезно для нас.

Однако события, произошедшие в СССР и некоторых частях Европы, показали, что жители китайской столицы не поддерживают диктаторство президента Китая и авторитарную систему. Кажется, что они также стремятся к свободе и демократии. Я уверен, что рано или поздно, но Китай станет более свободной страной с точки зрения демократии.

Однако не нужно недооценивать решимость тибетцев. Поколения меняются, и молодые поколения, которые никогда не видели старого Тибета, и родились при китайском правительстве, обладают даже более сильным духом, чем предыдущие поколения. Я верю, что мы увидим перемены с изменением демократического климата в Китае. И тогда мы сможем подвести итог моих усилий за последние пятнадцать лет. Сейчас действующий регент следует жесткой линии в политике и не желает прислушиваться к мнению других людей. На данный момент от Китая не поступало ни ответа, ни ответного предложения, несмотря на максимальные уступки с моей стороны. И все же я верю, что придут перемены и мы сможем вступить в серьезные переговоры с правительством Китая.

Вы должны понимать, что мы уважаем китайцев и не идем против народа или страны. Мы восхищаемся их цивилизацией и культурой, и просто надеемся, что они смогут найти что-то общее и также хорошо относиться к нам. Однако я чувствую, что со временем мы сможем вступить в серьезный диалог с Китаем. Я верю в это больше всего. Думаю, через несколько лет все будет лучше, наступят перемены.

Р.М.: *Все больше говорят о том, что все больше и больше чуждых элементов китайской и западной культуры приходит в Тибет. Чувствуете ли Вы угрозу для цивилизации, представителем которой являетесь?*

Е.С.: Если сложившаяся ситуация будет продолжаться, тибетской культуре будет очень сложно сохраниться. Большинство китайцев, приезжающих в Тибет, не имеют квалификации — это люди, которым сложно работать в Китае. Они находят такие возможности в Тибете, потому что тибетцы не могут соревноваться с ними. Они больше заинтересованы в получении денег, чем представители Тибета, да в такой степени, что даже не желают учить язык. Таким образом, местные тибетцы вынуждены разговаривать по-китайски. В результате тибетский язык стал практически никому не нужен. Аналогично образ мыслей местных людей, их стиль жизни и культура питания также претерпевают изменения. Мы замечаем эти перемены в людях, которые прибывают из Тибета. Возможно, это не относится к пожилым людям, однако перемены однозначно наблюдаются в отношении молодых людей.

Думаю, местные китайские власти намеренно способствовали таким переменам из-за страха. Они смотрят на каждую из сторон жизни с политической точки зрения, опасаясь, что однажды Тибет может обрести независимость. Во всем, что связано с тибетской идентичностью, включая язык, религию и культуру, они видят ростки сепарации, угрозу отделения. Они не намерены защищать тибетскую культуру; вместо этого они накладывают многочисленные ограничения на исследование Тибета.

Р.М.: Очевидно, что мир движется к западной модели «глобальной» культуры и традиционные культуры под угрозой? Какова значимость тибетского наследия в наше время и почему важно сохранять его?

Е.С.: Некоторые аспекты тибетской традиции связаны с социальной и экономической системами. Они не так важны; времена меняются, и все это также должно меняться. В этих областях тибетцам необходима модернизация.

Существует и другой уровень, другой аспект тибетской культуры, на который глубоко влияет буддистская дхарма. Это влияние очевидно в отношении тибетца к себе самому, к другим людям, к животным. Ко всему. Думаю, тибетцы более сострадательные, более мирные, чем другие люди. Я считаю, что наше наследие действительно стоит того, чтобы его беречь, поскольку когда у нас в жизни начинается сложный период, это будет очень полезно. Некоторые аспекты тибетской культуры определенно полезны для человечества в целом. Следовательно, стоит предпринять попытку их сохранить. Однако это не так просто.

Думаю, сохранение тибетской культуры должно быть добровольным. Если не видишь пользы и смысла принимать культуру, чтобы ее сохранить, сделать это будет трудно.

Р.М.: *Как Вы считаете, до какой степени те ценности, воплощением которых является тибетский буддизм, могут существовать и развиваться за пределами Тибета? Может ли наследие и культура Тибета процветать в другом месте?*

Е.С.: В некоторых областях, например, таких как медицинская наука и психология, некоторые ведущие ученые проявляют интерес к тибетским, или буддистским, взглядам и объяснениям. Буддистская психология основана на знании, а не на религии. Как я уже говорил, она намного старше, чем западная психология.

Сегодня многие люди за пределами Тибета начинают интересоваться тибетским восприятием. Культура не сводится только к Тибету. Северная Индия, Северный Непал, Бутан также обладают такой же культурой и наследием. А также Монголия и некоторые регионы Российской Федерации. Если есть свобода, есть и реальная возможность изучать дхарму Будды в этих регионах.

Р.М.: *После длительного перерыва за последние годы Ваши представители несколько раз посетили Китай и начали диалог. Есть ли какая-либо причина Вам думать, что в результате всего этого появилась значительная надежда?*

Е.С.: Мы возобновили непосредственный контакт несколько лет назад, и на первой встрече атмосфера была положительной. Мы всегда верили, что самый лучший способ решения нашей проблемы — это ее обсуждение. Следовательно, даже еще в 1973 — 1974 годах, когда в Китае происходила культурная революция, здесь, в Дхарамасале, мы уже приняли решение о том, что рано или поздно нам придется разговаривать с правительством Китая.

Вопрос независимости не актуален. Мы приняли для себя золотую середину — автономия, самоуправление — значимое самоуправление. Именно *это* должно быть нашей целью. С этой целью мы проводили переговоры с китайскими властями. Китайцы по-прежнему думают, что я принимаю участие в некоем движении за независимость; следовательно, непонимание и отсутствие доверия по-прежнему существуют. Наши взгляды отличаются, и нам необходимо найти общие интересы. Нужно встретиться лицом к лицу и поговорить. Я считаю, что это чрезвычайно важно. Мы счастливы, что разговор возобновился.

Р.М.: *Возможно ли, что Вы вернетесь?*

Е.С.: Несмотря на то что прошло несколько встреч, мне не кажется, что мы значительно продвинулись вперед. Это только начало, хотя мы и не ожидаем слишком многого. Видите ли, тибетский вопрос очень сложен. Мы предпринимаем попытки для достижения стабильности, единства и процветания. Правительство Китая преследует такую же цель. Однако методы ее достижения немного иные. Кажется, китайское правительство старается достигнуть всего этого посредством санитарной обработки, меньше всего делая акцент на тибетском единстве. Мой подход — прежде всего сохранить единство Тибета, что в действительности будет способствовать обогащению культуры или духовности Китайской республики. Мы верим, что это разумный подход. И китайцы, и тибетцы — люди. Единство должно исходить из сердца, а не строиться на страхе. В настоящий момент есть определенная стабильность, единство, однако оно основано на страхе. Это не настоящее. Конечно, тибетцы должны получить искреннее удовлетворение. Однако до настоящего времени они испытывали величайшее разочарование, горести и т.д. Недавно я встречался с премьер-министром Китая и сообщил ему об этом.

Кажется, что в самом Тибете не происходит никаких сдвигов в лучшую сторону. Это немного меня беспокоит, так как целью прямого диалога является улучшение жизни тибетцев внутри Тибета, а не только вопрос моего возвращения. Когда ситуация станет лучше для тибетцев, когда правительство Китая начнет рассуждать и предпринимать реалистические меры, придет время, когда я вернусь, так как только тогда я смогу быть чем-то полезен там. Даже если я поеду туда, без свободы, без каких-либо улучшений настоящих обстоятельств это будет просто туристической поездкой; я ничего не смогу там сделать.

На самом деле, в начале 1980-х годов китайское правительство и лидеры обратились ко мне с предложением вернуться. Предложение состояло из пяти пунктов. За мной сохранялись прежние привилегии, статус и все такое. Я ответил, что вопрос состоит не в этом. Настоящая проблема — права тибетских людей и их будущее. С тех пор в Тибете не было никаких перемен к лучшему.

Р.М.: *Политические конфликты заканчиваются только тогда, когда у обеих сторон есть что обсуждать. Вы стоите на позиции логики сострадания. По Вашему мнению, что может ускорить перемены?*

Е.С.: Бюрократия Китая меняется. Все больше и больше простых китайцев — интеллигентов, артистов и бизнесменов — проявляют искренний интерес к Тибету. Также улучшаются отношения Китая с Индией. Эти перемены в конечном счете заставят китайское правительство подумать серьезно и реалистично о ситуации в Тибете.

Р.М.: *Вы часто озвучивали свою уверенность в том, что эти вопросы получат разрешение в течение Вашей жизни. Видите ли Вы какие-либо причины изменить эту точку зрения?*

Е.С.: Нет, хотя мне и семьдесят два года. Думаю новое, молодое поколение развивается достаточно правильно. Основание тибетского духа очень твердое. Тибетский дух, как в Тибете, так и за его пределами, очень сильный. Теперь у нас есть выборная власть уже около двух или трех лет; поэтому даже если я почти на пенсии, тибетский вопрос по-прежнему открыт. В то же время люди Китая тоже начали смотреть на вещи глобально. Все меняется к лучшему. И я настроен оптимистично в отношении Тибета.

Духовно-просветительское издание

ВЕЛИКИЕ МАСТЕРА МУДРОСТИ

ДАЛАЙ-ЛАМА
РАДЖИВ МЕХРОТРА

**Все, что вы хотели спросить
у Далай-ламы**

Ответственный редактор *А. Серов*
Художественный редактор *Г. Булгакова*
Технический редактор *Н. Носова*
Компьютерная верстка *Г. Клочкова*
Корректор *Р. Годгильдиева*

ООО «Издательство «Эксмо»
127299, Москва, ул. Клары Цеткин, д. 18/5. Тел. 411-68-86, 956-39-21.
Home page: **www.eksmo.ru** E-mail: **info@eksmo.ru**

Подписано в печать 10.06.2011. Формат 84×108 $^1/_{32}$.
Гарнитура «OfficinaSansCTT». Печать офсетная. Усл. печ. л. 13,44.
Доп. тираж 4000 экз. Заказ № 2488.

Отпечатано в ОАО «Тульская типография».
300600, г. Тула, пр. Ленина, 109.

ISBN 978-5-699-47047-1